Sa

Saverio Tomasella est docteur en psychologie, chercheur et écrivain. Il a fondé l'Observatoire de l'ultrasensibilité et la Journée de l'hypersensibilité. Auteur de nombreux ouvrages, dont *À fleur de peau* (Leduc.s, 2017) et *Derrière le mur coule une rivière* (Leduc.s, 2018), ses travaux sur l'hypersensibilité font désormais référence. *Comme un enfant* a paru en 2019 aux éditions Leduc.s.

# DERRIÈRE LE MUR COULE UNE RIVIÈRE

SAVERIO TOMASELLA

# DERRIÈRE LE MUR COULE UNE RIVIÈRE

## Le **roman** initiatique du lâcher-prise

LEDUC.S
PRATIQUE

© 2018 Leduc.s éditions
ISBN : 978-2-266-29177-4
Dépôt légal : mai 2019

*Je dédie ce livre à Brigitte Boullet, cofondatrice de Lutopie, un restaurant-librairie pour les femmes, créé et animé par des femmes solidaires et féministes.*

« *Le vouloir est un mur et non une marche.* »

*Dialogues avec l'ange*

« *Si ton adversaire attaque avec le feu, réponds avec l'eau. Deviens complètement fluide.* »

Morihei Ueshiba (inventeur de l'aïkido)

« *Ce qu'on appelle être habité par la vertu vive : ne point lutter. Parmi toutes les choses du monde, il n'en est point de plus faible que l'eau, et cependant, pour briser ce qui est fort, rien ne peut l'emporter sur elle. Rien ne peut remplacer l'eau. Ce qui est faible triomphe de ce qui est fort ; ce qui est doux triomphe de ce qui est dur. Ainsi, les paroles justes paraissent contraires à la raison.* »

Lao-tseu, *Tao-tö-king*

# ÉTÉ

## 1

— Estelle ? Tu es où ?

— Je suis là…

Flora avance de quelques pas. Le vestibule de la villa est arboré de bananiers et de magnolias majestueux, plantés dans de grands pots en terre. Par l'embrasure de la porte, elle voit Estelle qui s'ingénie encore à arranger un bouquet, aligner un verre ou redresser une fourchette. Organisée et méticuleuse, son amie veut absolument s'assurer que tout est en place. Selon son idée à elle. Estelle aime l'ordre et tient à ce que le moindre détail soit parfait pour le mariage de Flora et de Pascal. Tout en s'affairant méthodiquement, elle ne peut s'empêcher de se dire que tout cela est un peu précipité. *Tout de même, ils auraient pu attendre quelques mois avant de se marier, ou au moins commencer par se pacser… Enfin, j'imagine qu'une passion comme la leur n'attend pas. En plus, il y a le bébé. Enfin, le futur bébé. Quelle chance elle a, je… Mais flûte alors ! Qu'est-ce qu'elle a cette fichue nappe ?* Estelle lisse le faux pli imaginaire d'une paume rageuse et rejoint Flora, rayonnante, qui lui adresse un grand sourire.

— Merci Estelle, heureusement que tu es là. Tu es une fée ! (Elle l'embrasse affectueusement.) Ah, tiens, j'entends des pas sur le gravier.

Estelle jette un dernier coup d'œil consterné à la nappe et se dirige vers la fenêtre.

— C'est Pascal.

— Ouf, il était temps !

— Bon, je te laisse tranquille. Tu as besoin de te reposer avant l'arrivée de tout le monde. Je vais m'occuper des enfants.

Flora sourit de la voir à ce point attentive à son bonheur.

— Ils sont avec Antoine, non ? Tu pourrais peut-être en profiter pour te reposer cinq minutes, toi aussi. J'ai l'impression de te voir virevolter depuis des jours !

Estelle semble hésiter un instant et se reprend aussitôt.

— Oui, ils sont avec Antoine. J'y vais. Tu es magnifique, Flo, dit-elle en effleurant une mèche savamment échappée du bandeau de son amie, vraiment superbe ! À tout à l'heure.

— Merci… Estelle !

Celle-ci interrompt sa traversée de la grande salle, évoquant irrésistiblement à Flora un militaire au garde-à-vous – à ceci près qu'elle porte une robe de soie dont les motifs floraux obéissent au joyeux *dress code* suggéré, plus qu'imposé, par la future mariée à ses plus proches amies.

— Oui ?

— Détends-toi, promets-le-moi.

Estelle acquiesce.

— Et puis amuse-toi, profite de la présence de Raphaël. Je suis contente que tu sois venue avec lui, c'est vraiment chouette.

Raphaël... Depuis des jours et des nuits, Estelle ne pense qu'à lui (enfin quand l'organisation du mariage lui en laisse le loisir). Au point de ne plus en dormir. Elle sourit à Flora sans répondre, faute d'avoir pu décider si oui ou non, c'était une bonne idée de l'avoir invité aujourd'hui. Bien sûr, c'est son petit ami du moment, mais elle l'a rencontré pendant les vacances et elle le trouve un peu jeune, immature presque. Surtout, elle se sent gênée de se montrer avec un homme. Elle a du mal à s'avouer qu'elle en a même honte. Plusieurs fois, elle a été sur le point de lui demander de ne pas venir, et puis... *Enfin, c'est trop tard maintenant, tant pis.*

Estelle s'éloigne en regardant une dernière fois très attentivement autour d'elle. Les tables sont impeccablement dressées, décorées avec autant de soin que de goût, chacune avec son thème et sa couleur. De fins rubans de tulle coloré entourent le dossier de chaque chaise, recouverte de tissu ivoire, comme les nappes, et des pivoines généreuses s'épanouissent dans de grands vases.

Par l'une des portes-fenêtres largement ouvertes, Estelle rejoint le jardin qui descend jusqu'à la Marne. Entourées de grands voiles de coton blanc ondulant sous la brise, les tables extérieures sont déjà préparées pour l'apéritif. Les boissons sont au frais, à l'ombre ou dans des seaux remplis de glace. Un peu plus loin, des fauteuils et des chaises longues agrémentent une pelouse d'un vert éclatant, tendre et épaisse, qui exhale l'odeur douce, aqueuse, de l'herbe récemment coupée. Puis un chemin en terre, comme en pleine campagne, bordé d'une haute rangée d'arbres, dont l'ombre est bienvenue. Tout, ici, a encore le parfum des vacances, au point qu'on en oublie la proximité de Paris. *Quelle veine d'avoir trouvé un lieu aussi original !* En contre-bas, la jeune femme entend d'abord les rires joyeux de Manon et de Théo, puis elle les aperçoit qui s'amusent à lancer des cailloux dans la Marne, dont l'eau calme scintille au soleil. Antoine lui tend la main pour l'aider à descendre tandis que son compagnon, Louis, garde un œil sur les enfants.

— Coucou maman ! Tu as vu comme je l'ai lancée loin ? s'enthousiasme Manon.

— C'est vrai, tu aimes jouer avec l'eau, toi !

À peine a-t-elle fini sa phrase qu'elle entend un grand « plouf ». En lançant une nouvelle pierre avec un peu trop d'ardeur, Théo vient de glisser. Les enfants sont pris d'un fou rire magistral, imités par Antoine, qui aide Théo à sortir de l'eau. Louis, qui repère immédiatement la mine déconfite d'Estelle, s'empresse de la rassurer en dédramatisant la situation.

— Ne t'en fais pas, il fait chaud, il va sécher très vite.

Estelle se sent soulagée. Elle a toujours peur de mal faire et, pis encore, d'être prise en défaut. Elle ferait n'importe quoi pour être à l'abri de toute critique et de tout reproche. Ce n'est pas la première fois qu'elle remarque que Louis sait lui dire les mots justes au bon moment et faire retomber la pression.

— Eh bien, tu t'en souviendras, du mariage de ta mère, glisse Antoine à Théo, hilare.

Raphaël les rejoint en courant, pose ses mains sur la taille d'Estelle, la soulève et la porte en la faisant virevolter autour de lui, puis embrasse voluptueusement ses lèvres.

— Salut les amis, tout va bien ? s'exclame-t-il.

— Oui, répond Théo, tout excité. Tellement bien que je me suis baigné !

Tous rient de nouveau aux éclats, sauf Estelle qui, malgré la joie communicative, ne parvient pas à se départir de son sérieux.

— Alors, Raf, ton anniversaire, c'était bien ? s'enquiert Antoine.

— Dément !

— Ça te fait quel âge, déjà ?

— Vingt-neuf ans.

— Quelle jeunesse !

— Dommage qu'Estelle n'ait pas pu venir, glisse Raphaël avec un regard amoureux.

— C'est vrai que tu préparais le menu avec Flora, intervient Louis, comme pour l'excuser.

— Un délicieux repas bio et des vins de terroir, sans sulfites, plaisante gentiment Raphaël.

— Et alors ? Je n'y peux rien si je suis allergique aux sulfites, rétorque aussitôt Estelle, sur la défensive.

Elle sent qu'elle est plus touchée qu'elle ne voudrait et saisit un quelconque prétexte pour se retirer d'un pas vif. Conscient de sa maladresse, Raphaël la rejoint pour s'en excuser, mais sa tentative met le feu aux poudres. La colère d'Estelle éclate d'un coup.

— Tu ne peux pas réfléchir un peu avant de parler ? Ça t'amuse de me ridiculiser en public ? Je me demande bien pourquoi je t'ai dit de venir… D'ailleurs, je ne veux plus te voir !

Avec douceur, Raphaël tente de lui prendre le bras pour l'apaiser, mais Estelle se dégage brutalement.

— Laisse-moi tranquille !

Elle court vers la villa et se perd rapidement parmi les invités, qui se regroupent devant les tables du buffet, mis en appétit par l'abondance colorée des amuse-bouche.

Ce premier samedi de septembre fleure si bon l'été que personne n'a envie de le voir glisser et disparaître. La chaude douceur de l'air et la lumière satinée déjà plus distante baignent l'atmosphère d'une ouate tendre et limpide qui les rend tous presque nostalgiques, malgré l'ambiance festive, les rires qui fusent et les danses qui s'enchaînent dans un tourbillon de bonheur. Un peu à l'écart, Estelle observe la scène et son cœur se serre. Pourquoi a-t-elle rejeté brusquement Raphaël ? Pourquoi se met-elle, si souvent, des bâtons dans les roues ? Elle songe à ses déboires répétés avec les hommes. Elle n'a plus envie de se donner raison, de trouver des arguments pour justifier sa méfiance et ses rudesses. Elle se sent si lasse d'elle-même. Elle aperçoit Raphaël près d'un petit groupe auquel il s'est rattaché pour ne pas rester isolé, mais elle voit bien qu'il ne participe pas à la conversation. Ce serait si simple de retourner le voir et de lui demander pardon. De lui dire que tout cela n'a aucune importance et qu'ils peuvent continuer à rêver ensemble, à s'enivrer des merveilles de la vie… mais elle n'en fait rien.

Elle s'en sent incapable. Oh, ce n'est plus de l'orgueil, ce n'est plus cette volonté de toujours avoir raison, non, elle est trop déçue d'elle-même pour mener ce combat. Elle n'arrive pas à bouger. Découragée, elle reste appuyée contre le mur, immobile, interdite, stupéfaite par l'étendue du malheur qu'elle s'inflige à elle-même. Elle voudrait pleurer mais n'y parvient même pas. Elle regarde ce mariage qu'elle a préparé avec tant de ferveur se dérouler sous ses yeux comme si elle n'était déjà plus là...

## 2

— Bon je vous laisse, je dois absolument partir, je suis en retard, ma fille m'attend…

Estelle ramasse ses affaires à la hâte, les jette en vrac dans son sac et quitte la salle de réunion précipitamment pour courir jusqu'au métro.

Dans la rame, les stations qui défilent, familières, avec une régularité métronomique, et le balancement des wagons ont rapidement raison de son agitation. Elle repense au mariage de Flora. *Presque une semaine déjà, comme le temps passe vite !*

Son visage se crispe de nouveau. Elle tente de chasser les images désagréables qui l'assaillent pour ne garder que celles de Flora, son merveilleux bonheur, son ventre légèrement bombé sous la robe à fleurs pâles, le spectacle improvisé des enfants – Théo, bien sûr, et surtout sa Manon, si différente d'elle, si joyeuse et extravertie que, par contraste, elle se sent plus renfermée et timorée que jamais. Elle les revoit tous les deux, entraînant le public dans leur folle farandole tandis qu'elle-même, raide comme la justice au milieu des sourires et des encouragements, les observait de loin, avec le trac d'une mère regardant sa fille passer sa première audition à l'opéra.

Estelle s'en veut d'être ainsi, toujours aux aguets, incapable de profiter de l'instant sans penser, dans un coin plus ou moins vaste de son esprit, à ce qui pourrait bien être en train de lui échapper pendant qu'elle regarde ailleurs. Le contrôle, chez elle, est une seconde nature. La première, même, peut-être. En tout cas c'est ce qu'elle se dit, que c'est ainsi, qu'elle n'y peut rien. Qu'elle ne peut pas s'empêcher de tout organiser. *Et si Flora pensait que je ne lui fais pas confiance ? En tout cas c'est ce que j'aurais pensé, moi, si une foldingue était venue me parler du choix des entrées l'avant-veille de mon propre mariage ! Dingue, voilà ce que je suis. Une cinglée qui passe ses nuits à cogiter au lieu de dormir... Assortie d'une vraie calamité, capable de larguer son mec sur un coup de tête, au beau milieu d'un mariage dont je n'ai même pas profité. De toute façon, comment aurais-je pu ? « Maniaque, angoissée et impulsive », tiens, ça ferait un bon descriptif pour un site de rencontres !*

Le nez dans son livre, dont elle n'a pas tourné une seule page, Estelle rumine sa vie ratée, sa solitude sentimentale, ses échecs répétés. Elle ressasse son amertume, tourne en boucle, revient en arrière, repart de plus belle, se trouve de nouveaux griefs, se sent tour à tour coupable et risible et... *Stop !*

Dans la rue, elle reprend sa course pour rentrer chez elle et consulte sa montre : presque une heure de retard. *À la fois à cheval sur les horaires et systématiquement en retard : c'est l'histoire de ma vie.* Essoufflée et en nage, elle atteint enfin le deuxième étage du petit immeuble où elle vit, à Montreuil.

Elle tourne la clé dans la serrure et pousse la porte.

— Manon ? Je suis rentrée !

Pas de réponse. Tandis qu'elle fait le tour de l'appartement, paniquée, en criant le nom de sa fille, des coups assurés se font entendre à la porte.

Ouvrant brusquement, elle se trouve face au visage affable d'une femme d'une soixantaine d'années, dont le sourire et les vêtements colorés, blouse fleurie et grand jupon baba, désarçonnent Estelle. Dans le miroir de l'entrée, elle ne peut s'empêcher de jeter un coup d'œil rapide à sa propre tenue, chemisier-jupe droite-ballerines-chignon serré, et, face à cette femme solaire qui semble droit échappée des années 1970, se sent soudain très vieille malgré ses vingt-cinq ans de moins. La femme avance d'un pas, faisant osciller la longue tresse blanche qu'elle porte sur l'épaule, et lui tend une main ferme.

— Estelle ? Je suis Béa, la voisine d'en face, pas de panique, ta fille est chez moi.

— Oh, merci ! Vous êtes adorable, je ne sais pas comment…

Bouche bée, Estelle la suit tandis que sa voisine traverse le palier en expliquant :

— On se tutoie. Je tutoie tout le monde. Allez, entre ! Ta fille avait oublié ses clés, elle est venue sonner chez moi. Elle a bien fait. Elle est dégourdie, cette petite, tu sais… Et puis on peut la remercier, ça nous donne enfin l'occasion de faire connaissance, depuis toutes ces années.

Estelle entre, à la fois gênée et penaude. Elle s'avance vers Manon, qui lui saute au cou pour l'embrasser.

— Je suis désolée, ma puce. En plus, je suis en retard.

— T'en fais pas, maman, je m'amuse bien avec Béatrice !

Estelle se tourne vers la voisine, qui lui adresse de nouveau ce sourire radieux qui la déstabilise.

— Merci, je… excusez-moi, je ne sais pas comment vous remercier.

— Vraiment, il n'y a pas de quoi, ta fille est un vrai bonheur. Et je peux te dire qu'en tant qu'ancienne instit, je sais de quoi je parle ! Blague à part, j'adore les gosses. Depuis que je suis à la retraite, j'anime même une petite école à la maison, pour des gamins dont les parents ne supportaient plus l'école traditionnelle. Ils ont organisé cette solution entre eux. Sympa, non ?

Estelle approuve et fait mine de partir.

— Je crois qu'on vous a assez dérangée…

— Je suis trop bavarde, c'est ça ? Je t'ennuie ?

— Non, pas du tout, je…

Béatrice éclate de rire.

— Je plaisante, Estelle ! Je sais bien que je suis bavarde comme une vieille pie. Allez, on a du temps à rattraper, alors les voisines, vous restez dîner !

Prise entre des pôles contraires – la sympathie que lui inspire cette femme et sa méfiance naturelle – Estelle se sent soudain perdue et vulnérable. Très vite, la proximité chaleureuse qu'instaure spontanément Béatrice semble faire fondre la distance de sécurité qu'Estelle met entre elle et le monde.

— Je ne sais pas, oui… non… Manon doit faire ses devoirs.

— Qu'est-ce que tu crois ? Ils sont faits, ses devoirs, et joliment même.

— Ah, merci, mais… et la douche alors…

— Oh, la douche attendra. On ne meurt pas de rester un soir sans se doucher, va ! Allez, rien qu'un petit verre, insiste gentiment Béatrice, tout en respectant les réserves d'Estelle, qui capitule malgré elle, s'assied sur le canapé défraîchi, lasse, et accepte un jus de pomme.

— Je ne supporte pas l'alcool…

— J'ai un petit vin d'orange maison, sans cochonneries chimiques, tout ce qu'il y a de plus naturel ! D'accord ?

Estelle se rend. Elle adore le vin d'orange amère et se sent rassurée de voir Manon heureuse de jouer avec les pâtes à modeler colorées de la « classe » de Béatrice.

Les deux femmes bavardent de tout et de rien, de l'immeuble, qui est de plus en plus délabré et que les propriétaires entretiennent a minima depuis longtemps, des pédagogies Montessori et Freinet, que Béatrice connaît bien… Puis, de fil en aiguille, elles en viennent aux confidences. Béa est si naturelle, si spontanée que, peu à peu, Estelle baisse la garde et se surprend à se livrer. Elle évoque ce qui la chagrine le plus en ce moment. Elle se confie un peu sur son travail, très prenant, sur sa fatigue, la responsabilité de Manon qui pèse sur ses seules épaules, cette charge qu'elle ne partage avec personne. Elle parle aussi, surtout, du mariage de Flora, la fête qu'elle a pratiquement organisée du début à la fin alors que personne ne le lui demandait, et à laquelle elle s'est finalement sentie étrangère, incapable de s'y amuser, en décalage complet avec les autres. Timidement, elle évoque Raphaël, essaie de justifier sa rupture aussi soudaine qu'inexpliquée, ose avouer qu'elle s'en veut et qu'elle ne sait que faire pour sortir de son obsession du contrôle, qui finit par l'éloigner des personnes qu'elle aime le plus…

Elle raconte tout cela en fixant alternativement ses pieds et le fond de son verre, jetant parfois un regard discret à la décoration bariolée de cet appartement gai et chaleureux, si différent du sien. Au bout d'un long moment, elle lève la tête, et ses yeux rencontrent ceux de Béatrice, qui ne dit rien depuis quelques minutes. Loin de sembler distraite ou ennuyée, celle-ci l'écoute au contraire avec une attention qui prend Estelle au dépourvu. Gênée, la jeune femme se ressaisit et tente de reprendre le contrôle de la situation.

— Enfin, bref, je suis un cas désespéré, essaie-t-elle de plaisanter, un repoussoir qui ferait fuir même les personnes les mieux intentionnées.

— Je n'ai pas fui, je suis toujours là, lui répond Béatrice en souriant. Je t'écoute. Ce que tu me confies me touche vraiment.

— Te toucher, moi ? ironise Estelle. Comment c'est possible ? Au mieux je suis froide comme un glaçon, au pire carrément cassante ou agressive.

— En tout cas, tu ne vas pas bien. Tu souffres, ma chère enfant, ça crève les yeux ! Tu es sûre que tu ne veux pas rester dîner ?

— Oui, je suis sûre. Je suis fatiguée, j'ai mal au dos et j'ai besoin de rentrer chez moi.

— Bon. Alors on se revoit bientôt. Je n'ai pas l'intention de te laisser moisir seule dans ton coin après tout ce que tu m'as dit. La porte est ouverte ! Tu débarques quand tu veux, et le soir, Manon vient ici direct après l'école. Elle fera ses devoirs avec moi, tu n'auras plus à t'en soucier. D'accord Manon ?

Manon sourit en hochant énergiquement la tête. Estelle s'est levée. Béatrice la raccompagne vers la porte d'entrée et l'embrasse.

— Toi, tu en as, des choses à dire… des chagrins restés gros sur le cœur, de sales histoires que tu n'as jamais racontées et des plaintes que tu n'as jamais pu exprimer, hein ?

Estelle détourne le regard, gênée d'être à ce point percée à jour derrière sa carapace de petit soldat.

Elle baisse la tête, tourne les talons et se dirige vers son appartement, suivie de Manon.

La vie est pleine de surprises.

## 3

*Six kilomètres seulement ? Allez, encore deux !
Ou quatre, tiens.* En sueur, le casque vissé sur les
oreilles, diffusant un podcast de la BBC pour améliorer son anglais, Estelle s'active sur son tapis de course
en jetant de temps à autre un œil vers la chambre de
Manon, qui fait sagement ses devoirs. *Fichu gâteau au
pot d'hier… Mais qu'est-ce qui m'a pris d'en reprendre
une part ?* Elle appuie sur l'un des nombreux boutons
du tableau de bord de l'engin high-tech, qui simule
aussitôt une inclinaison à 10 %.

Écarlate et dégoulinante, Estelle lutte impitoyable-
ment contre la résistance du tapis lorsque la sonnette
de l'entrée retentit. Le cœur battant à tout rompre, elle
appuie sur trois boutons à la fois et manque de tomber
lorsque le mécanisme s'arrête brutalement.

Elle lâche un juron, qu'elle se reproche aussitôt, et se
dirige vers l'entrée, serviette à la main, bien décidée à
envoyer sur les roses quiconque – colporteur, témoins
de Jéhovah ou même facteur, tiens – a eu l'impu-
dence de venir interrompre son rituel du samedi matin.
Alors qu'elle ouvre la bouche pour débiter le petit

discours furieux qu'elle a déjà répété trois fois dans sa tête depuis que la sonnerie a retenti, elle tombe nez à nez avec Béatrice. *Décidément, elle a le chic pour me surprendre à la porte !* Un large sourire aux lèvres, celle-ci arbore une magnifique jupe arlésienne aux couleurs flamboyantes et des fleurs piquées dans sa chevelure blanche.

— Salut chère voisine ! Je vais faire le marché, tu m'accompagnes ? Rien de tel pour se détendre, prendre la vie du bon côté et nourrir ses sens ! Alors, tu viens ?

— Bonjour... euh, non, pas possible, là je dois absolument faire du sport pour éviter l'obésité qui me guette, lâche Estelle avec un petit rire nerveux censé excuser sa tenue, sa sueur, son essoufflement et son humour pas vraiment convaincant.

— Ah oui, je vois ça, c'est du sérieux ! Tu m'épates, ma grande..., répond Béatrice en lui donnant une petite tape amicale sur l'épaule. Une prochaine fois peut-être, quand tu auras arrêté de croire que tu ressembles à une baleine ?

Le sourire d'Estelle, d'abord crispé, se détend, tandis que les battements de son cœur retrouvent progressivement un rythme plus tranquille. Elle sent une petite main qui tire la sienne.

— Maman, maman, et moi je peux aller avec Béa ? S'il te plaît...

— Eh bien... pff... je ne sais pas... Béa, tu serais d'accord ?

— À ton avis ? Allez cocotte, lâche ces devoirs, c'est samedi, et laisse ta mère faire joujou avec son instrument de torture !

Ravie, Manon fonce dans la cuisine prendre le panier de sa mère, qui lui glisse un billet et lui demande d'être sage.

— Sage ? C'est quoi, ça ? dit Béa à Manon avec un clin d'œil. Allez, en route, mauvaise troupe ! À tout', Estelle, et prends ta douche, un petit thé, ta fille et moi, on s'occupe des courses.

Estelle referme lentement la porte en écoutant les rires et la cavalcade dans l'escalier.

Appuyée contre la porte, elle se laisse glisser au sol en vidant tout l'air de ses poumons. L'espace d'un instant, elle ferme les yeux et sent ses épaules se relâcher, sa nuque se détendre. Elle se sent soulagée. Soulagée de ne pas avoir eu à dire oui, soulagée que Béatrice ne se soit pas moquée d'elle et de son attirail sportif dernier cri, soulagée, aussi, curieusement, de se trouver sans Manon. Toute l'année, elle partage son quotidien avec sa fille, sans repos, sans répit même, et être enfin un peu seule lui fait le plus grand bien. Elle laisse la tension qui avait commencé à se dénouer dans ses épaules se transformer en une douce chaleur, qui se répand dans ses membres. Renonçant à remonter sur le tapis, elle délace ses chaussures et effectue plusieurs séries d'abdos et quelques étirements, en soupirant à l'idée des étals colorés et du parfum des dernières tomates de la saison. *Mais pourquoi j'ai dit non ?*

La fatigue semble tomber sur elle d'un coup, comme si, à travers cette simple question, c'était son univers tout entier qui était remis en cause. Elle a la désagréable impression que les efforts qu'elle déploie quotidiennement pour tout contrôler ont construit une sorte de cuirasse autour d'elle. Comme si elle s'empêchait elle-même de vivre... Elle ferme de nouveau les yeux et s'allonge en respirant lentement.

Elle ne sait combien de temps elle passe ainsi, les yeux clos, et se relève en sursaut en entendant le bruit de la clé dans la serrure. Manon se précipite à l'intérieur, suivie de Béatrice, chacune portant un panier débordant de fruits et de légumes de toutes les couleurs.

— Maman, tu as vu ? C'est beau, hein ? Dis, j'ai invité Béa à déjeuner et tu n'as pas le droit de dire non ! C'est nous qui préparons le repas et tout !

Estelle s'apprête à protester, mais Béatrice lève la main pour l'interrompre avec un grand sourire.

— Tss, tss, tss ! Ne t'inquiète pas, ta fille m'a donné la liste complète des aliments que tu ne manges pas. Et je peux te dire qu'elle a sacrément bonne mémoire parce qu'il y en a un paquet ! On a tout respecté à la lettre, juré craché, tu ne prendras pas un gramme.

Le visage déjà rouge d'Estelle devient écarlate ; elle acquiesce et bredouille une excuse avant de filer se réfugier dans la salle de bains. Lorsqu'elle revient, fraîche et tonifiée par la douche, la table du salon est dressée, et le repas, presque prêt.

— Une salade de fleurs et de fruits... Manon m'a dit que tu préfères manger les fruits au début du repas. Ensuite des œufs à la coque avec du pain sans gluten – oui, oui, on a pensé à tout ! Un peu de quinoa accompagné de courgettes, puis, en dessert, un flan aux amandes et aux noisettes. Sans sucre, bien sûr, juste une goutte de sirop d'érable. Ça t'ira ?

Estelle n'en revient pas. Elle connaît à peine Béatrice. Pourquoi se montre-t-elle si gentille avec elle ? Comment est-il possible ? *Peut-être parce qu'elle aime bien Manon ? Oh, et puis zut, après tout, tant mieux !*

— Allez, à table ! annonce la voisine de sa voix chantante.

Manon s'installe en bout de table, ravie, tandis que les deux femmes prennent place face à face.

— C'est magnifique, merci… Je suis gênée, Béatrice. Je ne suis pas habituée.

— Eh bien, il est temps que tu t'habitues, tu ne crois pas ?

— Ah ? Je ne sais pas. Je…

— Oui ?

— Rien… rien, rien.

Estelle essaie d'esquiver la question, le corps soudain figé.

— Quelle sorte de rien ? insiste Béatrice.

Estelle souffle puis hésite.

— C'est la première fois que ça m'arrive.

— Ah oui, et tu vivais où avant ? Toute seule sur une île ?

La parole spontanée de Béatrice fait mouche. Estelle se sent touchée au vif. Elle détourne le regard, retient ses larmes et tente de changer de conversation. Elle pose une question anodine à Manon pour retrouver une contenance, mais la douleur qui pointe est trop forte. Prise d'un léger vertige, elle a l'impression de ne plus pouvoir se contrôler et part se cacher à la cuisine pour éviter les regards et laisser échapper quelques larmes.

Manon se lève à son tour, mais Béatrice pose une main bienveillante sur son épaule :

— Ne bouge pas, ma chérie, laisse-moi faire.

La petite fille hoche la tête, confiante, tandis que Béatrice rejoint Estelle en cuisine.

— Pardon, dit-elle avec une grande douceur, excuse-moi, je parle souvent trop vite. Je vais faire plus attention avec toi.

Estelle la regarde, stupéfaite, comme si elle venait d'une autre planète. Incrédule, elle a l'impression de ne pas comprendre ce qu'elle entend et sent soudain sa méfiance déferler, asséchant tout sur son passage comme un vent de sable, fermant de nouveau les vannes en elle.

— Allez, faisons honneur à ce bon repas, lance-t-elle d'une voix faussement enjouée en rejoignant le salon, le quinoa va refroidir.

Béatrice n'est pas dupe. Comme avec les enfants qui se braquent, elle laisse couler, sans y accorder plus d'attention que nécessaire. Pour changer de sujet, elle raconte comment elle a créé, il y a quelques années, avec de bonnes copines, un lieu de vie dédié aux femmes, à la fois librairie et restaurant : Lutopie. Chacune d'elles y travaille bénévolement, à tour de rôle.

— Ça permet à cet endroit un peu magique d'être ouvert tous les jours, même le dimanche, pour accueillir les femmes seules qui n'ont personne sur qui s'appuyer. C'est vraiment chouette, là-bas. Il se passe toujours quelque chose.

Estelle écoute en silence, la tête légèrement baissée.

— Je suis sûre que ça te plairait. Et puis c'est à deux pas d'ici, je t'y emmène quand tu veux.

# AUTOMNE

## 4

L'automne commence sous le signe d'un grand vent qui semble vouloir tout balayer sur son passage. Depuis le petit matin, de puissantes bourrasques irrégulières secouent les arbres et font claquer les volets sur les façades. C'est ce bruit lancinant, oppressant, qui a tiré Estelle de son sommeil. Assise sur son lit, la lampe de chevet allumée, elle écoute, guette la prochaine rafale tandis que les idées virevoltent dans sa tête. Certaines tentent de s'échapper, mais la plupart se heurtent au mur de sa fatigue et de ses tensions, comme des abeilles cherchant à gagner un jardin derrière une vitre invisible. *Six heures du matin.* Cela fait deux heures qu'elle cogite. Il est temps de se lever.

À Planète Verte, la pépinière d'entreprises écoresponsables dont Estelle est la comptable attitrée depuis sa création, l'ambiance est électrique. Tout le monde est sur les nerfs, si bien que le ton monte rapidement entre la jeune femme et l'un de ses collègues, et que la réunion du lundi matin tourne au dialogue de sourds. Estelle passe l'heure suivante sans dire un mot, les mâchoires serrées, à prendre des notes en griffonnant des figures géométriques dans les marges. Bien vite, elle oublie l'origine de la dispute, et ce n'est plus à son collègue qu'elle en veut, mais à elle-même.

— Désolée, je suis crevée, je ne dors pas bien ces derniers temps, je…

— Pas de problème, Estelle, ce n'est rien, on a tous nos moments de fatigue. Et puis, qu'est-ce qu'on ferait sans ta compétence et ta rigueur ? Allez, à plus tard, bon appétit !

Elle esquisse un sourire et promet, sans trop y croire, que tout ira bien. Puis elle enfile son manteau et s'apprête à partir déjeuner lorsque Antoine, qui a assisté à la scène, se plante devant elle et lui prend son sac.

— Allez hop, je t'emmène déjeuner. Et ne dis pas non, c'est moi qui ai ta carte, dit-il en agitant son portefeuille sous son nez.

Estelle émet un petit rire et ne se fait pas prier.

— Au japonais, alors, je…

— Oui, je sais, tu es au régime. Mais évite de le dire devant tout le monde, avec ta ligne de sirène, tu risques d'en agacer certains.

Le restaurant est à deux rues de la pépinière, qu'ils parcourent en échangeant des banalités. Estelle ne s'anime que lorsque Antoine lui demande des nouvelles de Manon, que Louis et lui aimeraient inviter à déjeuner avec Théo, dans la grande maison qu'ils retapent à deux pas de chez Flora.

— Histoire de profiter un peu de l'été indien, tu vois. Surtout qu'on a déniché une balancelle pour la véranda, tu vas voir, effet relaxant garanti !

Au restaurant, Estelle picore dans son sashimi, pendant qu'Antoine lui raconte le brunch gargantuesque que lui a préparé Louis la veille en rentrant du marché. Elle hésite à lui parler de Béatrice, du merveilleux déjeuner que Manon et elle lui ont concocté, et y renonce, comme si elle craignait, avec son fichu caractère, de tout gâcher, de dénaturer son propre jardin secret. Probablement aussi comme si elle n'y croyait pas vraiment, ou qu'elle ne l'avait pas mérité. Elle sourit légèrement sans le vouloir.

— Un sourire ? Eh bien, je n'y croyais plus !

Estelle lui lance un regard interrogatif.

— Je plaisante, Estelle… Tu ne t'aperçois même plus quand tu souris ?

— Je suis désolée.

— Désolée d'avoir souri ? Allez, je te connais par cœur. Dis-moi ce qui te chiffonne à ce point.

Estelle pousse un gros soupir et prend une gorgée de thé vert.

— Je suis en pleine surchauffe. J'ai l'impression d'être en feu, d'être dans le rouge, tout le temps. Je crois que je me mets trop de pression. Et encore, on est seulement lundi. À ce rythme-là, je ne sais pas dans quel état je vais finir la semaine.

Antoine hausse les épaules.

— Te mettre trop la pression ? Jusque-là, rien de neuf sous le soleil : c'est ta spécialité. Cela dit, si maintenant ça te dérange et que tu te décides enfin à souffler un peu, j'applaudis des deux mains ! Oh, mais j'ai l'impression que ce n'est pas tout, je me trompe ? Allez, dis-moi vraiment ce qui ne va pas.

Elle repousse son assiette sur le côté et appuie le bout de ses doigts sur la table, si fort que ses jointures blanchissent légèrement.

— Si je le savais ! dit-elle en secouant la tête. J'ai l'impression de me fuir sans arrêt.

— Oh là… te fuir ?

— Je fuis mes émotions, j'évite de penser à mes désirs, je refuse de m'écouter… En fait, si tu veux vraiment savoir, depuis le mariage de Flora, je me rends compte que je passe mon temps à vouloir tout contrôler, pour que le moindre détail soit parfait.

Prise au dépourvu par sa propre sincérité, Estelle respire un grand coup et conclut, en regardant Antoine droit dans les yeux :

— Et ça m'exaspère.

Antoine confirme.

— Tu veux tout bien faire, trop bien faire, tout le temps.

— Et maintenant, poursuit Estelle, encouragée par l'attitude compréhensive d'Antoine, j'ai l'impression que ce perfectionnisme a pris le pouvoir sur moi et qu'il me tyrannise ! Je n'arrive plus à m'en défaire, ça me colle à la peau.

— Oui, c'est vrai… Écoute, c'est dur, je sais, mais je suis content que tu m'en parles. J'ai essayé de le faire plusieurs fois, mais j'avais l'impression que depuis le mariage, tu avais fermé toutes les écoutilles. Tu étais complètement inaccessible. Enfin, encore plus que d'habitude, ajoute-t-il en souriant. Heureux de te revoir parmi nous, ma chère Estelle !

— Désolée, je…

Antoine fronce les sourcils et fait non de l'index. Estelle sourit.

— Bon, d'accord, je ne suis pas désolée ! Mais je m'épanche, je me plains et je n'aime pas ça, c'est tout.

— Tu ne te plains pas, on parle, tout simplement…

La jeune femme hésite un instant, regarde autour d'elle comme si elle craignait qu'on puisse l'entendre et reprend :

— J'ai tellement pris l'habitude de serrer les dents et d'attendre que ça passe… Au fond, je fais tout pour que rien ne m'atteigne.

Estelle souffle et observe la façon dont Antoine la regarde, avec une grande attention, qui lui fait un instant penser à Béatrice. Elle lit dans son sourire, son visage détendu, ouvert, un encouragement à poursuivre.

— Je me suis blindée… pour ne pas être débordée, pour ne pas être blessée.

— Et tu penses que c'est la meilleure façon d'être heureuse ? Te blinder ? Ne pas laisser le monde extérieur t'atteindre ?

— Non, bien sûr que non. Au contraire… d'ailleurs, c'est bien le fond du problème : je n'arrive désespérément pas à être heureuse. Je suis nostalgique, mais je ne sais pas de quoi, puisque je n'ai jamais été vraiment heureuse. C'est comme si je n'étais pas complètement là, comme si j'étais à côté de la réalité. (Elle émet un petit rire triste.) Parfois, je me demande si je ne suis pas folle.

— Folle ? Mais qu'est-ce que tu racontes ?

— Peut-être pas folle, mais j'ai l'impression d'agir malgré moi, tu vois ce que je veux dire ? Par exemple, j'ai conscience d'être extrêmement dure avec moi-même et avec Manon, et je m'en veux, mais je n'arrive pas à me comporter autrement. Je voudrais tellement être une autre femme…

— Être une femme, tout simplement ! dit Antoine, provoquant une lueur dans le regard d'Estelle. Tu sais que tu peux nous confier Manon quand tu veux. Tiens, le jour où elle vient déjeuner avec Théo, fais comme Flora, laisse-la-nous jusqu'au soir et prends l'après-midi pour toi.

— D'accord, tu as raison, je… merci, Antoine.

— Allons, de rien. De rien du tout, même ! À ton avis, les amis sont là pour quoi ?

Estelle hoche la tête.

— Je sais, je devrais accepter plus souvent l'aide de mes amis et… (Elle s'interrompt un instant et son visage s'anime soudain.) Tu sais quoi ? À propos d'amis, j'ai découvert la semaine dernière que j'avais une voisine très sympa. Elle habite là depuis des années et on ne s'était jamais croisées… Enfin jamais parlé. Moi, surtout. Bref, elle est formidable et Manon l'adore ! La prochaine fois que vous passez à la maison, je vous la présente.

— Super, quand tu veux !

Ils restent un moment silencieux, puis Antoine reprend, préoccupé :

— Tu sais, avant de rencontrer Louis, j'avais souvent des insomnies. Il m'a suffi de quelques séances d'hypnose pour retrouver le sommeil. Pourquoi tu n'essaierais pas ?

— Oui, pourquoi pas, concède Estelle sans grande conviction. Mais ces fichues insomnies sont installées chez moi depuis si longtemps que je me demande si je pourrai les en déloger un jour. Enfin merci, j'y penserai.

— À ton service, plaisante gentiment Antoine en inclinant la tête. Et au fait, avec Raphaël, ça va mieux ? Vous devez être rabibochés ?

— Rabibochés ? Non, c'est fini.

Antoine pose ses baguettes et la regarde droit dans les yeux.

— Comment ça fini ? Mais pourquoi ? C'est un mec en or !

— Pour une broutille, pour un rien, je ne sais pas, moi… de toute façon, c'est ma faute, je m'y prends comme un manche avec les hommes. J'ai tellement peur.

— Peur ? Peur de quoi ?

— À ton avis ? De mon côté horrible ! Franchement, qui voudrait d'une fille qui se transforme en mégère dès qu'un homme l'approche ?

— Pardon ? Mais de quoi tu parles, enfin ?

Estelle hausse les épaules comme si c'était l'évidence même.

— Je me sens menacée dès qu'un homme s'intéresse à moi. Je ne veux pas montrer qui je suis. Au fond, je crois que je me déteste, et j'en ai marre de souffrir, aussi… Alors si un homme s'approche trop, je deviens capricieuse, chiante comme une vieille bourrique pour le forcer à fuir. Une emmerdeuse.

— Ouah, Estelle se lâche ! Ça fait du bien de t'entendre parler comme ça, d'abandonner un peu tes expressions désuètes…

— Mes expressions désuètes ? Tu plaisantes ?

— Non, je t'assure. Tu ne t'en rends pas compte ?

— Non… Tu veux dire que je suis ringarde ?

— Euh, sans vouloir t'offenser… oui, un peu. Enfin surtout compassée, toujours tirée à quatre épingles, avec un langage surveillé qui sonne faux. On a l'impression que tu surjoues le rôle d'une gouvernante sévère ou d'une maîtresse d'école d'une autre époque, tu vois le genre ?

— À ce point ?

— Ben oui, enfin presque… Estelle, tu es belle comme le jour, tu as trente-cinq ans, pas soixante.

— C'est l'âge de la voisine dont je te parlais : si tu la voyais, avec ses jupes colorées et ses fleurs dans les cheveux…

— Eh bien tu vois, j'ai dit une bêtise : ce n'est pas une question d'âge, de nombreuses femmes de soixante ans sont bien plus épanouies que toi ! Ce que je veux dire, c'est que tu pourrais être ultrasexy si tu voulais.

— Eh, oh, arrête-toi, je te vois venir avec tes gros sabots…

— Tu sais bien que j'ai raison, insiste Antoine sans la quitter des yeux.

— Bon, imaginons que ce soit vrai. Ça ne règle pas mon problème. Je ne veux pas attirer un homme puisque ça me fout une énorme trouille…

Estelle éclate soudain de rire, aussitôt imitée par Antoine, lequel ne cache pas sa joie de la voir enfin se détendre.

— Qu'est-ce qui te fait rire ?

— D'avoir dit « ça me fout une énorme trouille ». Avant, j'aurais dit « ça m'effraie » ou un truc comme ça. Bref, ce qui me désespère, c'est de ne pas réussir à montrer qui je suis.

— Je me trompe ou justement, ça commence à venir ? Et pour continuer dans cette nouvelle voie, je te conseille de laisser tomber tes principes.

Estelle le regarde à la fois ahurie et amusée.

— Oui, oui, tu m'as bien entendu, ma cocotte : adieu les principes, les contraintes et les efforts. Bonjour le plaisir et les bons moments ! Tu me le promets ? lui demande-t-il en se levant et en l'embrassant affectueusement sur la joue. Et pour commencer, on va se commander ces macarons au thé matcha qui me font de l'œil depuis tout à l'heure !

Je lâche mes principes.

## 5

En quelques jours, certains arbres ont déjà changé de couleur. Dans la cour de l'école de Manon, les érables semblent s'embraser sous le vent qui agite leur feuillage flamboyant, et les marronniers de la rue se parent d'une belle nuance fauve. Sous les fenêtres de la chambre d'Estelle, les branches du magnifique cerisier des voisins, qui lui rappelle tant celui de Flora, deviennent rouges, et certaines se dénudent déjà.

Surtout, la nuit tombe plus tôt et la fraîcheur du soir tranche avec la chaleur de ces après-midi encore tellement ensoleillés que l'on pourrait se croire en été. *À midi, les terrasses étaient pleines de monde.* Estelle adore voir tous ces gens le sourire aux lèvres, attablés avec un ami, un livre, ou juste un café, heureux de profiter de la douceur du temps et des rayons d'un soleil clément qui réchauffe sans brûler.

La jeune femme s'étire puis accroche soigneusement veste et sac à main au portemanteau de l'entrée. Elle garde avec elle le *tote bag* décoré du logo de Planète Verte, qu'elle pose sur l'accoudoir du canapé. Elle a eu une grosse journée, mais tout s'est bien passé, et les tensions du début de la semaine lui paraissent déjà loin. Elle se sent plus légère, comme si les conseils d'Antoine commençaient à faire leur chemin en elle : *adieu les principes, les contraintes, les efforts*... Elle jette un regard autour d'elle, son salon au cordeau, ses étagères symétriques autour de la cheminée, son tapis de course, évidemment, sa vie bien rangée. Elle hausse les épaules avec un sourire. *Bon, il y a du boulot !*

La vraie révolution, cependant, c'est que désormais Béatrice s'occupe de Manon presque tous les soirs. Jamais Estelle n'a considéré sa fille comme un poids, et pourtant elle sent que quelque chose s'est allégé dans sa vie, comme si elle avait lâché du lest et pouvait enfin prendre de l'altitude, se laisser un peu aller. Depuis quelques jours, elle ne fonce plus dans le métro, et au lieu d'avoir les yeux rivés sur sa montre, elle prend le temps de regarder autour d'elle, d'admirer les arbres, les vitrines.

Elle prend le sac de Planète Verte et en sort un paquet en kraft, qu'elle déballe avec précaution. *Magnifique*... Devant la glace, elle déboutonne sa chemise stricte et enfile le joli pull vert émeraude qu'elle s'est offert en chemin. Elle formule un remerciement muet à Antoine. *Bonjour le plaisir et les bons moments ! C'est vrai que ça fait du bien de craquer, pour une fois*...

Elle tourne sur elle-même, satisfaite, puis ôte le vêtement en soupirant. *Allez*... Elle passe un vieux sweat-shirt et prépare un repas simple en réécoutant le même podcast de la BBC. *Je ferai plus élaboré demain*, songe-t-elle sans vraiment y croire, en répondant de temps à autre à un courriel sur son téléphone portable. Elle vérifie son emploi du temps du lendemain quand elle entend la porte d'entrée se refermer, suivie du cri joyeux de Manon.

— Je suis là, m'man !

— Dis à Béa d'entrer ma chérie, lance Estelle de la cuisine.

— C'est vendredi, m'man ! Béa est à la librairie et moi j'ai aïkido, tu sais bien. C'est la mère de Clara qui m'a raccompagnée. Je pose mes affaires dans ma chambre et j'arrive.

Estelle secoue la tête. *Je connais mon planning sur le bout des doigts et je ne suis pas fichue de retenir celui de ma fille... J'ai des fuites au cerveau, ou quoi ? Trop de choses à penser et ça déborde ?*

Elle interrompt ses réflexions, car quelques secondes plus tard, Manon déboule dans la cuisine et dépose un baiser sur sa joue avant de bâiller à s'en décrocher la mâchoire. La fillette met la main sur sa bouche et lâche un petit rire.

— Oups, désolée, m'man !

Estelle sourit à son tour et lui passe la main dans les cheveux.

— Ce n'est rien. Tu es fatiguée, ma puce ?

— Un peu, oui. L'aïkido, c'est génial, mais ça m'a rendue toute flagada, dit Manon avec une grimace comique.

— C'est peut-être trop dur pour toi ? Tu es sûre que tu n'es pas un peu petite ?

— Mais non, pas du tout ! J'ai bientôt huit ans et je suis avec d'autres enfants de mon âge...

— Qu'est-ce que vous avez appris ?

— La philopho... phi-lo-so-phie de l'aïkido, arti-cule la fillette. C'est trop bien : tu utilises la force de ton adversaire pour te défendre. En fait, tu n'attaques pas, tu laisses venir et tu rediriges l'énergie vers celui qui t'attaque, explique Manon très sérieusement en essayant de réutiliser les mêmes mots que le professeur et en faisant un mouvement circulaire, comme une danse autour d'elle-même.

— Impressionnant ! dit Estelle avec le même sérieux. Décidément, j'ai l'impression que tu accroches bien, non ?

— Oui, c'est super ! Et puis le prof est trop sympa. Aujourd'hui, il nous a demandé d'apprendre par cœur une phrase du gars…

— Du monsieur…

— … du monsieur qui a inventé l'aïkido.

— Ah oui ?

— Oui… tu écoutes, maman ?

Estelle lève la tête de son portable.

— Oui, pardon, je t'écoute, ma perle.

— Oh, m'man, dit Manon, le regard brillant, en se rapprochant un peu de sa mère. J'adore quand tu m'appelles comme ça ! Ça faisait tellement longtemps… merci maman.

— Allez, à table, assieds-toi, coupe Estelle avec douceur, mal à l'aise de constater qu'elle a un peu délaissé sa fille ces derniers temps. Alors, cette maxime ?

— Une maxime ?

— Oui, la phrase que tu as apprise par cœur ?

— Ah ! Eh bien c'est : « Si ton adversaire t'attaque avec le feu, réponds avec l'eau. »

— Rien que ça ! Alors peut-être que je devrais m'envoyer un bon verre d'eau à la figure, lâche Estelle sans réfléchir.

Manon fronce les sourcils.

— Qu'est-ce que tu racontes, maman ?

— Rien. Que j'ai sûrement besoin d'eau. Ça chauffe un peu trop dur, là-dedans, dit Estelle en désignant sa tête.

— Moi je crois que tu travailles trop, maman, dit Manon, sans se départir de son sérieux. Quand je serai grande, je ne travaillerai pas autant que toi et j'aurai plus d'amis.

— Tu trouves que je n'ai pas assez d'amis ?

— Ben… un peu, non ? En tout cas, tu ne les vois pas beaucoup. Moi j'aimerais bien les voir. C'est vrai, quoi, on est toujours toutes les deux toutes seules ici. Enfin heureusement, maintenant, on a Béa !

— C'est vrai, on a Béa. Tu crois que c'est une amie, Béa ?

— Bien sûr ! Peut-être qu'on pourrait aussi inviter Théo, et Flora ?

— Très bonne idée, j'appelle Flora ce soir pour les inviter mercredi…

Manon réfléchit un instant, comme si cette discussion ouvrait soudain la possibilité d'aborder d'autres sujets avec sa mère. Elle saute sur l'occasion et se lance :

— Maman, pourquoi tu ne veux pas que j'aie un vélo ?

— Quel rapport ? dit Estelle, prise au dépourvu.

— Je ne sais pas… Il faut toujours que les choses aient un rapport ?

— Eh bien… oui… non… enfin je… Mais où voudrais-tu qu'on le range ?

— Dans la cour, comme les voisins ! Pourquoi tu ne veux pas ?

Décontenancée, Estelle baisse la tête.

— Manon, avec cette circulation, ça me fait peur, le vélo…

— J'irai doucement, promis. Je ferai attention, et puis je mettrai un casque aussi ! De toute façon c'est o-bli-ga-toire, dit Manon en agitant un index professoral.

— Bon, on verra, je vais réfléchir. Peut-être un peu plus tard… Je n'ai que toi, murmure Estelle en se tournant vers l'évier pour y déposer les assiettes, alors que Manon, aussi agile qu'un chat, est déjà partie se laver les dents. Et presse bien sur le tube de haut en bas !

— Oui, m'man, je sais, répond de loin Manon, un peu lasse d'entendre cette rengaine tous les soirs.

Estelle rince les plats en songeant à sa fille, dont elle admire la liberté et la franchise. *Elle et moi, on est si différentes… Parfois, j'ai l'impression qu'elle est plus lucide que moi. C'est peut-être moi qui devrais me mettre à l'aïkido, tiens !*

En pyjama, l'haleine fraîche, Manon revient dans le salon.

— Je suis fatiguée, maman, je vais me coucher, annonce-t-elle en venant embrasser sa mère. Maman…

— Oui mon chat ?

— On va bientôt voir Raphaël ?

— Eh bien… non ! Je ne sais pas, répond Estelle, surprise et embarrassée. Pourquoi ?

— C'est lui qui m'a parlé de l'aïkido. Alors j'aimerais bien lui dire que j'ai commencé et que ça me plaît. Et puis j'aime bien vous voir ensemble, aussi, il arrive à te faire rire…

Estelle reste sans voix. Elle regarde sa fille se diriger vers sa chambre, puis se lève machinalement, pour fuir ce qu'elle ressent en se perdant dans l'effort. Elle fait un pas vers son tapis de course et se fige aussitôt, comme si les mots de sa fille prenaient soudain corps devant elle, comme si ce tapis n'était plus une bête machine mais l'incarnation de sa solitude, de cette perfection qu'elle exige d'elle-même à chaque instant, sans répit. De sa surchauffe. Cet ennemi intime qui la consume… Un peu sonnée, elle fait volte-face et se laisse tomber dans un fauteuil, vidée. *Je ne peux pas continuer comme ça, ce n'est pas possible ! Comment vais-je m'en tirer ?* Elle ferme les yeux, sous le coup de ce qu'elle vient de comprendre. *Eh bien je crois qu'il est urgent de faire quelque chose, sans quoi je vais me dessécher sur place, comme un arbre assoiffé en plein désert…*

J'arrête de jouer un rôle.

## 6

La semaine, encore une fois, est passée à toute allure. En rentrant chez elle, Estelle trouve une jolie enveloppe mauve glissée sous la porte. Elle la ramasse et la pose sur une table, puis enlève son imperméable dégoulinant et se libère de ses chaussures trempées en pestant contre la météo. *Non mais qui lui avait fichu cette pluie diluvienne sur Montreuil, et pile à l'heure où elle sortait du métro ?*

Après un crochet par la salle de bains pour sécher ses cheveux, Estelle revient dans le salon et contemple l'enveloppe, intriguée. Elle la saisit du bout des doigts et la retourne, à la recherche d'une indication, avant de se décider à l'ouvrir. Centimètre par centimètre, elle fait glisser le coupe-papier sur le papier vergé, qui abrite une carte du même mauve, portant quelques lignes d'une belle écriture ronde à l'encre bleu nuit. « *Estelle, je t'invite ce soir à dîner avec un vieil ami, Dario. Tu verras, il est extraordinaire. Vingt heures chez moi. Je t'embrasse.* »

*Un dîner ? Ce soir ? Oh non, je suis affreuse et complètement crevée !* Machinalement, Estelle prend son téléphone pour décliner l'invitation et le repose aussitôt : sa voisine n'a pas de portable, elle ne veut pas se laisser envahir par la technologie. Elle réfléchit un instant, retourne l'appareil et s'assied sur le canapé. Tandis qu'elle ferme les yeux, ses préoccupations semblent refluer et perdent de l'importance à mesure qu'elles s'éloignent. À sa grande surprise, Estelle sent un doux soulagement l'envahir et remplacer le sentiment d'urgence à dire non qui l'assaillait un instant plus tôt. Elle s'allonge sur le côté, la tête posée sur un coussin en velours, et pousse un profond soupir.

— Maman ?

Estelle sent une main légère posée sur son épaule. *Ah... J'ai dormi combien de temps ?*

— Tu dors, maman ?

— Oui... enfin non, maintenant je suis réveillée... Ça va, ma chérie, je vais me lever.

— Je viens te chercher pour le dîner chez Béatrice.

— Oh, mince, c'est vrai, j'avais déjà oublié ! Vas-y, et dis-lui que j'arrive : je prends une douche et je vous rejoins.

Un quart d'heure plus tard à peine, revigorée, Estelle sonne chez Béatrice.

— Désolée, je n'ai même pas eu le temps de me maquiller, s'excuse-t-elle en l'embrassant.

— Pas de chichis, tu es très bien comme ça ! Crois-moi ma grande, tu es encore plus belle au naturel, insiste Béatrice devant la moue de son invitée, qui hausse les épaules.

— Si tu le dis...

— Tu n'es pas dans ton assiette ?

— Je ne sais pas... Je me sens nerveuse.

— Ne me dis pas que tu as la frousse parce que j'ai invité un homme ? Il a soixante-dix ans bien sonnés et il est adorable, une vraie crème. Et puis il n'est même pas encore arrivé ! Allez, pas de panique et haut les cœurs !

Estelle a un sourire timide.

— Je suis un peu stressée mais ça va passer, promis.

— Bon, entre, respire à fond, je vais te faire faire un peu de Vittoz, ça va te détendre.

— Du quoi ?

— Vittoz. C'est une méthode mise au point par Roger Vittoz, un psychiatre suisse, pour harmoniser le cerveau. Je l'utilise depuis des années avec les enfants. Ça les calme et les aide à être attentifs, à se sentir mieux dans leur corps. Tu vas voir, c'est très simple.

Estelle acquiesce, sans bien savoir si ce qui l'attire est la méthode elle-même, dont elle ignore tout, ou le fait que Béatrice l'emploie avec les enfants. En tout cas, elle est très curieuse d'essayer.

— Tiens, assieds-toi sur cette chaise. Voilà, parfait, mets-toi à l'aise. Tu peux laisser tes yeux se fermer.

Béatrice parle d'une voix douce et lente, un peu lointaine. Elle est debout, juste à côté d'Estelle, et place sa main devant son front.

— Tu sens tes pieds posés par terre, au chaud dans tes chaussures, les plantes bien étalées. Tu sens tes fesses sur la chaise, ton dos contre le dossier, ta tête posée sur ton cou, légère. Tu laisses tes poumons se remplir d'air et se vider naturellement. Tu constates ce qui se passe en toi, c'est tout… Maintenant, sans ouvrir les yeux, comme si tu tenais une craie entre le pouce et l'index, tu vas dessiner devant toi un grand signe de l'infini, un huit couché. Oui, c'est bien, comme ça, lentement. Encore. Ce signe apaise le cerveau et harmonise les deux hémisphères, le gauche et le droit. Continue, encore un peu, très lentement. Formidable ! Maintenant, tu baisses ton bras et ta main, tu les mets au repos, et tu continues à dessiner le même signe de l'infini devant toi, simplement en le visualisant. Tu te vois le dessiner, nettement, devant toi. Tu sens que tu le dessines. Oui… c'est ça, encore, encore un peu. Là, voilà, très bien. Tu peux arrêter. Observe simplement la manière dont tu te sens dans ton corps, de l'intérieur. C'est chez toi, là, à l'intérieur, dans ton corps. Ta tête est tout à fait calme, ton cerveau en harmonie, paisible. Savoure ce que tu sens. Aime ce que tu sens, là, dans ton corps, oui… C'est toi. Tu es chez toi… À présent, très doucement, tu peux ouvrir les yeux.

Béatrice s'interrompt quelques instants pour laisser Estelle émerger de l'expérience, de son silence intérieur.

— Alors, comment tu as vécu ce petit jeu ?

— Très bien. Je me sens bien. J'ai l'impression de voir plus clairement, de façon plus précise, et plus globale aussi. Merci ! Dis-moi, qu'est-ce que tu fais avec ta main ?

— Je perçois les ondes émises par ton cerveau. Grâce à cette méthode, le cerveau se met au repos, en ondes alpha. Ce sont les ondulations qui correspondent à la détente, précise Béatrice devant les yeux grand ouverts d'Estelle. Cela me permet de constater que tu es bien dans l'exercice et qu'il porte ses fruits. Que ça marche, en somme !

— Et alors ?

— Eh bien félicitations, tu as réussi à te détendre !

Manon, qui n'a pas quitté sa mère des yeux, s'approche d'elle.

— Tu sais, maman, je fais ça tous les jours et j'aime beaucoup, moi aussi.

Béatrice sourit en désignant la cuisine.

— Bon, je vous laisse, mesdames ! Dario va arriver, le soufflé de potiron est au four, et je vais mettre la touche finale à ma salade avocat, pamplemousse, œufs de truite, poivron rouge et roquette. Tu m'en diras des nouvelles ! Avec une pointe de curry et un jus de citron vert, c'est un vrai délice.

Estelle pose la main sur celle de sa fille et incline la tête à gauche, puis à droite, constatant, à sa grande surprise, qu'elle ne ressent plus cette raideur dans le cou qui semblait l'accompagner du matin au soir. *Je ne m'étais pas sentie aussi bien depuis… je ne sais même pas.* Étonnée et ravie, c'est avec une sorte de sourire intérieur qu'elle rejoint la cuisine pour aider Béatrice.

Comme sa voisine le lui avait annoncé, Dario est un homme très agréable. Originaire de Toscane, c'est un bon vivant qui s'exprime avec chaleur et enthousiasme. Sa manière charnelle, voluptueuse, d'évoquer tous les aspects de la vie éveille en Estelle le souvenir de la sensualité gourmande de Raphaël. Avec son accent mélodieux, Dario explique, entre deux bouchées de soufflé dont il ne cesse de faire l'éloge, le plaisir que lui procurent l'odeur des fleurs et des feuilles, la saveur des fruits et des dizaines de variétés de cafés qu'il s'amuse à goûter chez lui. Il aime les orages, s'attarde parfois sur certains regards, dans la rue ou au restaurant, déclare sa flamme à la splendeur de la baie de Somme (où il loue à l'année une petite maison) et avoue une passion immodérée pour les iris.

Chanteur d'opéra à la retraite, Dario est devenu professeur de chant. Comme Estelle, il adore Puccini, et les voilà bien vite partis dans une discussion enflammée sur leurs opéras favoris et les artistes qui ont le mieux interprété tous ces rôles magnifiques. Estelle est fascinée par cet homme d'une si grande énergie et regarde ses mains qui virevoltent autour de lui, comme deux grands oiseaux agiles qui dansent de concert.

— Tu pourrais me donner des cours de chant ?

Estelle dit cela sans trop réfléchir, comme si elle formulait une évidence ou un désir ancien trop longtemps réprimé.

— Quelle merveilleuse idée, s'exclame Dario, enchanté. Mais je te préviens, chanter est difficile, c'est un acte très différent de tout ce que tu peux connaître. Ça demande de se lâcher complètement ! Tu ne pourras chanter que si tu acceptes de sortir de ta carapace, d'être dans ta vulnérabilité, au fond de toi, là où tu es la plus vraie…

Impressionnée, consciente de l'enjeu immense que cela représente pour elle, mais guidée par un désir trop profond pour renoncer, Estelle accepte de tenter l'aventure.

## 7

Les jours suivants, à plusieurs reprises, Estelle éprouve le plaisir nouveau et inattendu de se sentir plus légère. Elle aime le petit jeu que lui a proposé Béatrice. Par moments, elle se surprend à dessiner le signe de l'infini dans l'espace devant elle, les yeux fermés, avec l'assurance et la légèreté d'un calligraphe, d'une main puis de l'autre. L'harmonie de ce mouvement rond et gracieux l'aide à se sentir mieux, et songer à l'infini lui donne une sensation d'espace, comme si cela ouvrait l'horizon loin devant elle, un large horizon dégagé. Libéré, son esprit s'envole et traverse la mer, l'entraîne un instant sur l'île d'Yeu, au temps des vacances heureuses de son enfance, puis la ramène au tracé du 8 allongé. Ce signe lui plaît, avec ses courbes qui tournent et se croisent. Spontanément, elle lui associe une couleur, chaque fois lumineuse, qui varie au gré de ses pensées : tantôt un rouge vif tirant vers l'orangé, tantôt un jaune d'or intense.

Un peu grisée, elle a la sensation que le symbole est devenu immense, plus grand qu'elle, et qu'il danse autour de son corps, de son esprit, tandis qu'elle-même tourne comme un carrousel à l'intérieur de ses longues courbes. Elle se met à rire doucement, et un rêve qu'elle a fait la nuit passée lui revient : elle, petite, s'amusant dans un champ avec un petit chat, puis se promenant et cueillant des boutons-d'or dans une lumière limpide, comme celle de ces premiers jours d'octobre.

Ce rêve tire des fils au fond de sa mémoire et fait remonter des bribes de son enfance. Elles ne sont pas auréolées de cette lumière joyeuse, à l'image de cette fillette au visage inquiet, qui ne semble pas aussi insouciante et heureuse qu'elle aurait souhaité l'être. *C'est vrai qu'on ne riait pas beaucoup à la maison. J'étais plutôt tristounette.* Ce constat la laisse songeuse, et elle pense à sa fille, si gaie, si sociable, si passionnée déjà. *Tout le contraire de moi à son âge... heureusement !* Estelle retrouve le sourire, rassurée. Elle regarde par la fenêtre et aperçoit le cerisier au feuillage empourpré. *Ah, zut, Flora ! J'étais censée l'appeler pour l'inviter à passer à la maison avec Théo.* Elle sort son téléphone et compose le numéro de son amie, qui ne répond pas – *sans doute en vadrouille par ce si beau temps* –, et laisse un message sur son répondeur.

Estelle se lève, s'étire un instant et traverse le salon d'un pas décidé pour frapper à la porte de sa fille, qui joue dans sa chambre.

— Manon, et si on allait voir Béa ?

— Un dimanche ?

— Pourquoi pas ? En tout cas, moi, j'y vais ! Tu m'accompagnes ?

Manon se lève, ravie et surexcitée.

— Bien sûr que je viens !

Estelle entoure les épaules de sa fille de ses bras et mesure à quel point celle-ci a grandi. *Je devrais faire cela à chaque seconde...*

— Allez hop, on y va ! dit joyeusement Manon en lui collant un baiser sur la joue.

La fillette ouvre la marche, mimant des mouvements d'aïkido, suivie de sa mère, qui éclate de rire et fait mine de l'attaquer.

Visiblement touchée par cette visite improvisée, Béa les accueille à bras grand ouverts.

— Hé, mais qui voilà ? Des invitées surprises ! Alors ça y est, tu débarques enfin à l'improviste ? C'est pas le bout du monde, tu vois. Juste une question de confiance ! Bon, venez les filles, entrez vite si vous voulez qu'on papote un peu, dans une heure je dois filer à Lutopie remplacer une amie qui a un empêchement.

— On pourra t'accompagner ?

— En voilà une bonne idée ! Allez, asseyez-vous... Alors, comment tu as trouvé mon vieux copain Dario ?

— Très sympa et passionnant ! Et il a des mains incroyables.

— Ah oui ? À vrai dire, je n'y ai jamais vraiment fait attention... Toi, au contraire, j'ai remarqué que tu accordais beaucoup d'importance aux mains. C'est étonnant pour une femme qui ne se laisse pas toucher.

Saisie par l'observation de Béatrice, Estelle se sent déstabilisée, traversée par un léger vertige. Dans un flash, elle voit les mains puissantes de Raphaël et éprouve de nouveau envers lui le même rejet que le jour du mariage de Flora. Elle s'interroge sur cette répulsion, sur cette partie d'elle-même qui refuse la sensualité, le plaisir. Incapable de le formuler devant Béatrice – sans compter la présence de Manon – elle revient à Dario.

— Au fait, tu pourrais garder Manon un peu plus tard, mardi soir ? Je prends mon premier cours de chant après le boulot.

— Et comment ! C'est toujours un plaisir de passer du temps avec cette demoiselle, lance Béatrice en se tournant vers l'intéressée. Je te ferai faire un peu de Vittoz et, en échange, tu m'aideras à préparer un bon petit repas pour ta maman et nous.

Manon approuve d'un signe de la tête, aussi enchantée que sa mère, soulagée de ne pas avoir à se soucier du dîner ce soir-là.

— Quelle chance ! dit Estelle en caressant les cheveux de sa fille. Béa, je crois bien que je suis accro au Vittoz, moi aussi… Une vraie révélation, ça me fait un bien fou ! Tu ne voudrais pas me montrer un autre petit exercice ?

— Bien sûr, tout ce que tu voudras ! Tu parles que ça fait du bien ! Allez, assieds-toi. Toi aussi, Manon, tu peux le faire avec nous si tu veux, il n'y a pas de raison que tu restes en plan !

La fillette fait non de la tête en souriant.

— Je préfère regarder. J'aime bien voir comment fait maman.

— Comme tu voudras, ma chérie.

Béatrice se lève et va fouiner dans le vieux garde-manger peint de couleurs vives qui lui sert de buffet.

— Ah, les voilà ! dit-elle en sortant deux petits flacons.

Puis elle s'approche d'Estelle et place sa main sur son épaule en lui expliquant d'une voix douce que, là aussi, elle peut sentir les ondes qu'elle émet pendant l'exercice.

— Donne-toi le temps de fermer les yeux, reviens à toi, observe les points d'appui et les zones de contact de ton corps avec le sol puis avec la chaise. Prends tout ton temps. Quand tu es prête, fais-moi un petit signe, celui que tu veux.

Au bout d'un moment de silence, Estelle bouge légèrement les genoux. Béatrice sort de sa poche un des petits flacons, l'ouvre et le passe lentement sous les narines d'Estelle.

— Tu sens quelque chose ?

— Du citron ?

— Presque… Laisse venir le parfum en toi.

— Du pamplemousse !

— Oui, c'est ça. (Béatrice ferme le premier flacon et le remet dans sa poche, puis sort l'autre et l'ouvre.) Et là ?

— Euh… J'ai l'impression que c'est du romarin.

— Oui, très bien. Chaque fois que tu accueilles une sensation, tu es dans ton corps, et ton cerveau fonctionne de façon optimale. Il fait juste ce qui est nécessaire, pas plus. Tu n'as aucun effort à fournir, simplement être attentive aux sensations qui se présentent. Chaque jour, essaie de sentir des odeurs et des parfums qui te plaisent, en les savourant. Tu peux faire pareil en prenant le temps d'apprécier les goûts des aliments ou des boissons que tu aimes. Ça n'a l'air de rien, mais l'attention sensorielle harmonise le cerveau, et le plaisir le dope mieux que n'importe quelle drogue !

Estelle fait un léger oui de la tête. Béatrice ferme et range la seconde fiole, puis propose à la jeune femme d'ouvrir lentement les yeux, de bien regarder autour d'elle, de choisir un tissu et d'aller le toucher, le caresser, en prenant le temps de bien le sentir sur sa peau. Après un long regard circulaire, Estelle se lève et va vers les rideaux en velours vert amande, de chaque côté de la fenêtre. Elle se dirige vers celui de gauche, l'observe, le prend dans ses mains, le touche, éprouve son poids, sa texture, sa douceur, et prend le temps de le caresser.

— Quand tu le voudras, tu pourras fermer les rideaux puis les rouvrir en étant attentive à tes sensations, propose Béatrice.

Estelle accomplit ces gestes lentement, avec un calme et un naturel qui surprennent Manon, peu habituée à voir sa mère prendre ainsi son temps, puis elle se tourne légèrement et laisse échapper à mi-voix :

— J'ai l'impression d'être en vacances chez ma grand-mère…

— Tu vois comme les choses les plus simples peuvent devenir magiques ? C'est formidable, Estelle. Continue à prendre le temps, savoure ces sensations, fais-les durer aujourd'hui et même les jours suivants.

Béatrice tape soudain dans ses mains.

— Allez, allez, mes chéries, c'est l'heure, on y va ! dit-elle en entourant son cou d'une longue écharpe en soie multicolore qui retombe lentement, avec grâce, sur son épaule.

— Hé, on a oublié mon goûter ! proteste Manon.

— On t'en prendra un en chemin, répondent les deux femmes en même temps.

Surprises, elles rient toutes les trois de bon cœur, et Béatrice voit poindre dans le regard d'Estelle, timidement, la lueur reconnaissable entre toutes du plaisir, et du soulagement de retrouver les petits bonheurs de la vie.

## 8

Mardi, fin d'après-midi : Estelle est excitée comme une gamine à l'idée de prendre son premier cours de chant. En sortant de Planète Verte, elle court presque pour rejoindre la salle Pleyel, où Dario lui a donné rendez-vous. *Quelle chance de pouvoir y aller à pied ! Je n'aurais pas pu supporter le métro.* Il fait encore jour et elle regarde distraitement les vitrines, puis ralentit l'allure pour contempler la jolie place plantée de tilleuls, dont le feuillage se teinte d'un magnifique jaune doré. Un peu plus loin, devant un restaurant de fruits de mer, un écailler lui sourit derrière son étal débordant d'huîtres et de citrons coupés en deux sur une couche de glace pilée. Elle lui rend son sourire et respire à pleins poumons l'odeur iodée qui lui fait un instant oublier la frénésie des rues alentour.

La salle Pleyel n'est plus qu'à quelques mètres, maintenant. Estelle se sent légère. Elle se dit que c'est peut-être ça, tout simplement, le bonheur : se sentir bien avec soi-même.

Dans le grand hall d'entrée, grouillant de monde et tout illuminé, la jeune femme s'arrête un instant pour admirer l'architecture et se laisser gagner par l'atmosphère tonique, un peu survoltée, qui y règne. Suivant les indications de Dario, elle se dirige vers les ascenseurs, monte au troisième étage, longe un couloir et trouve le studio 312. Impressionnée, elle frappe à la porte.

— Entrez ! lance une voix sonore.

Doucement, elle pousse la porte et découvre une petite pièce lumineuse et bien chauffée, au sol couvert d'une moquette du même bleu roi que les murs. Devant elle, un piano, un pupitre, deux chaises et, au fond, une haute fenêtre donnant sur l'avenue des Ternes. La main tendue et le sourire aux lèvres, Dario lui souhaite la bienvenue.

— Voici mon antre. Pendant la semaine, j'habite pratiquement là et, le samedi, je donne cours chez moi... Mon vrai chez-moi ! Installe-toi. Je t'en prie, mets-toi à l'aise, dit-il en désignant un portemanteau dans un coin.

Intimidée, Estelle pose son sac et son manteau, et se tourne vers Dario avec des gestes un peu gauches.

— Je n'ai jamais chanté... C'est la toute première fois. Je ne suis pas sûre de pouvoir...

— Tant mieux, comme ça tu n'as pas de mauvaises habitudes ! Tu vas tout découvrir depuis le début. On va prendre tout le temps nécessaire. Tu es prête ?

Estelle ouvre de grands yeux et fixe les mains de Dario, qui bougent très lentement en un mouvement apaisant, presque hypnotique, qui la rassure.

— Euh... oui.

— À ton avis, où chante-t-on ? demande Dario avec son sourire chaleureux.

Estelle reste bouche bée, sans savoir que répondre. Dario reprend :

— *Dans le corps.* On chante dans le corps, par le corps, avec le corps. Le chant, c'est le corps qui vibre. Alors, tu vas préparer ton corps à chanter.

Dans un premier temps, Dario lui demande de s'allonger sur la moquette et de fermer les yeux. Il lui propose de prendre conscience de son corps en contact avec le sol, de le sentir de plus en plus lourd, comme s'il traversait progressivement les trois étages du grand bâtiment, et d'observer sa respiration. Il lui demande alors de souffler à fond, lentement, puis de laisser l'air entrer naturellement. Il termine avec quelques exercices d'apnée, poumons pleins puis poumons vides, et explique :

— Ces exercices nous viennent des grands castrats napolitains ! Tu te rends compte, ils en ont fait du chemin… Au fait, tu fais du sport ?

— Oui, je cours… enfin, sur un tapis, à la maison. Je n'ai pas le temps de sortir, je dois garder Manon, s'excuse Estelle, soudain gênée.

— Ma pauvre ! Tu as besoin du grand air pour développer tes poumons, ta cage thoracique, ton souffle ! Maintenant, assieds-toi quand tu veux, puis lève-toi, tout doucement.

Estelle s'exécute et lorsqu'elle est debout, Dario lui fait faire quelques étirements. D'abord en enroulant la tête, les épaules et le dos lentement vers l'avant.

— Tu sens comme ta tête est lourde ? Très bien. Laisse ta nuque se détendre, puis remonte aussi lentement… encore plus lentement, vertèbre après vertèbre, en commençant par le bas du dos. Très bien…

Estelle enchaîne l'étirement plusieurs fois, avec de plus en plus d'aisance, de fluidité dans le mouvement.

— Comment te sens-tu ? lui demande Dario lorsqu'elle a terminé.

— Très bien, vraiment détendue. J'aime bien ce mouvement.

— Ça se voit ! Ton visage est déjà plus ouvert, tes joues ont repris des couleurs. C'est bien mieux !

Dario lui propose plusieurs autres étirements destinés à détendre ses épaules, à dégager sa cage thoracique et à ouvrir ses côtes flottantes sur les flancs. Pour lui montrer comment relâcher la mâchoire, la langue, il émet un bâillement sonore, qui pousse naturellement Estelle à l'imiter.

— Voilà, très bien ! Ici, pas de fausse politesse. Le bâillement est fondamental, je t'expliquerai pourquoi une autre fois.

Estelle acquiesce, à la fois concentrée et détendue, et Dario poursuit :

— Bon, je récapitule. Tu chantes dans ton corps. Pour caricaturer, on pourrait dire que c'est le corps qui chante. Prends l'image d'une fusée… Premier étage de la fusée : le corps détendu et disponible, dynamique mais sans tension. Deuxième étage : le souffle. La voix est faite de souffle et de vibrations : l'air se transforme en son. Les chanteurs et les instrumentistes à vent parlent de « colonne d'air ». Un souffle régulier qui monte à la verticale, du diaphragme vers la tête. Pour que ce soit possible, on met l'air sous pression. Comme ça.

Le ténor montre alors à Estelle comment réveiller son souffle grâce à des consonnes sonores répétées, exhalées chacune pendant quelques secondes : ts, pf, zz, etc.

— Tu sens que tes côtes s'ouvrent. En largeur, comme une sphère, de tous les côtés. Le diaphragme est un muscle très puissant, c'est l'ami du chanteur. On parle de « poser la voix sur le souffle ». En fait, on se cale avec souplesse sur le diaphragme.

Estelle écoute attentivement, groggy par tous ces exercices qui l'obligent à être vraiment dans son corps, à s'engager corporellement. Sa tête est vide, elle ne pense à rien.

Dario désigne une feuille sur le pupitre et lui montre comment faire :

ri pi ti ki

ss ss ss ss

ch ch ch ch

ig ig ig ig

ft ft ft ft

ouit ouit ouit ouit

— « Ig » désigne le « Ich » allemand. Un souffle très fin passe au-dessus de la langue très bombée... Au début, cet exercice est redoutable, personne n'y arrive, la rassure-t-il.

— Ouh, je suis crevée, j'ai la tête qui tourne !...

— Oui, oui, c'est bon signe ! C'est le grand exercice du chanteur. Tu le feras tous les jours.

— Ah bon... d'accord, dit Estelle, un peu abasourdie.

Dario hoche la tête en souriant.

— Alors, reprend-il, quel est le troisième étage de la voix ?

— Euh… je ne sais pas.

— La résonance ! Les fameuses vibrations de poitrine et de tête, que l'on va mélanger pour que la voix soit homogène du grave à l'aigu. C'est ce qu'on appelle le *chiaroscuro*, le clair-obscur.

Dario exécute des sons bouche fermée sur « m », puis « n », avec le souffle, et demande à Estelle de l'imiter.

— Tu donnes l'impulsion de chaque son avec le bas-ventre, tout en bas, vers le pubis, et même le périnée… Chaque son, pas juste un de temps en temps. Oui, à chaque fois.

— Je n'y arrive pas…, s'excuse Estelle.

— Ne t'en fais pas, tu commences à peine, ça va venir. Tes muscles respiratoires ne sont pas encore entraînés… Oh, dit-il en regardant l'horloge, au-dessus du piano, tu te rends compte ? Ça fait déjà presque une heure que tu t'exerces. Le temps file à toute vitesse ! Bien, pour finir, une petite vocalise, et avant, je dois te faire part d'un autre grand secret du *bel canto*.

— Ah, ah ? murmure Estelle, intriguée.

— Allez, je ne fais pas durer le suspense plus longtemps ! Eh bien voilà, la voix est « fermée » : la *voce chiusa* est une expression imagée pour dire que je garde la voix en moi, je la tire vers l'arrière. Bref, je ne chante pas dans la bouche, je chante dans la tête, derrière le nez et le front, précise-t-il en désignant un point entre ses deux yeux. Pas dans le nez, derrière, comme si le son sortait par les oreilles. Tant que tu ne chantes pas ainsi, ce ne sera pas possible d'ajouter les voyelles, puis les consonnes. Donc, on commence par chanter sur un son neutre, une espèce de « e », un peu comme si tu disais « euh » naturellement, mais pas dans la bouche, plutôt dans le fond de la gorge, comme quand les Anglais disent « er ».

Estelle fronce les sourcils et essaie.

— Voilà, très bien, tu es sur la bonne voie…, dit Dario en riant, content de son jeu de mots. D'accord ? Allez, chantons !

Dario lui chante la vocalise. Estelle est subjuguée par la fluidité et la sonorité claire de sa voix, et lorsque vient son tour, elle se surprend à chanter plus facilement qu'elle ne l'aurait imaginé. Plus la vocalise monte vers l'aigu, plus elle se sent grisée, jusqu'à… un superbe couac !

— C'est très bien, l'encourage Dario, je t'expliquerai une autre fois comment aborder l'aigu. Pour l'instant, ta voix est perchée, ton larynx est trop haut, mais chaque chose en son temps. C'est déjà formidable ! Alors, ça te plaît ?

Perplexe et un peu dépassée, Estelle reste silencieuse un instant.

— Oui, ça me plaît beaucoup, même si c'est difficile. Cela me donne le vertige. Je ne sais pas si je vais y arriver…

— Oh, là, mais qu'est-ce que tu racontes ? À qui tu veux faire croire ça ? dit Dario avec un petit sourire espiègle. J'en ai vu passer, des élèves ! Mais toi… tu n'as pas grande confiance en toi, hein ? Eh bien sache que tu t'en sors très bien. Ça prend du temps d'apprendre à chanter, voilà tout ! Tu voudras revenir ?

— Euh, oui ! Bien sûr.

— Mardi à la même heure ?

— D'accord.

Lorsque Estelle quitte la salle de spectacle, la nuit est déjà tombée. Elle marche lentement, aussi fatiguée que si elle sortait d'une longue séance de sport. Devant une boulangerie, elle se surprend à savourer les fumets délicieux qui s'en échappent. *J'ai faim… Ah non, pas d'écart, non !* Très vite, elle reprend le contrôle sur son corps. Elle se sent très bien physiquement, mais sa tête se remet en activité et le doute refait surface, comme d'habitude. En descendant dans le métro, soudain un peu découragée, elle songe à ses dernières discussions avec Antoine. *Il a raison, je m'impose trop de contraintes. Je me limite moi-même. Je ne sais pas comment je vais réussir à être moins dure. Peut-être que le chant va m'aider. Si j'y arrive…*

Je suis dans mon corps.

## 9

— Alors, la grossesse ? Ça se passe bien ?

— Formidable ! Je suis tellement en forme que parfois j'en oublie que je suis enceinte... Enfin, presque ! dit Flora en désignant le renflement déjà bien visible sous sa blouse ample.

— C'est pour quand, déjà ?

— Fin mars... C'est encore loin, mais quand je peux, je préfère rester tranquille à la maison. Ça me permet aussi de goûter cette expérience unique et merveilleuse : mon corps habité par quelqu'un d'autre, que j'accueille et qui me pousse à lâcher un peu de moi. Je ne maîtrise plus rien, je ne peux pas contrôler la situation. Cela se passe en moi, malgré moi. Tout évolue de jour en jour sans que j'aie besoin de le vouloir ou de faire quoi que ce soit ! Je vis ma grossesse comme une fenêtre qui s'ouvre vers autre chose. Et avec ce temps incroyable, on peut profiter du jardin. D'ailleurs...

Estelle admire la souplesse avec laquelle Flora s'extrait de son fauteuil et lui emboîte le pas, tandis qu'elle ouvre grand la porte qui mène à l'extérieur. Elle respire profondément, comme Dario le lui a appris. L'odeur des feuilles lui parvient, puissante, douce, accompagnée de bouffées d'une fragrance à la fois épicée et sucrée.

— Allez viens, dit Flora, observant, agréablement surprise, le visage serein de son amie, on va profiter de ce splendide été indien ! J'ai préparé un bon rooibos à la vanille de Madagascar.

Les deux femmes s'asseyent autour de la table ronde. Près d'elles, au pied du cerisier, le sol est tapissé de feuilles d'un rouge intense tirant sur le roux, qui rappelle que l'automne est bel et bien là, malgré la chaleur de ce samedi qui fleure bon les vacances.

Estelle jette un œil à Théo et à Manon, en sueur malgré leurs shorts et leurs manches courtes.

— Les enfants, n'oubliez pas de boire et mettez-vous à l'ombre… et toi aussi, Flora !

Cette dernière acquiesce et déplace légèrement sa chaise pour profiter de l'abri qu'offrent les branches du grand arbre.

— Pascal va bien ?

— Très bien ! Il est à une session de méditation, comme souvent le samedi. Il ne va pas tarder.

Manon et Théo arrivent précipitamment, essoufflés, un verre d'eau à la main, qu'ils manquent de renverser entre deux éclats de rire.

— Dis m'man, on peut aller faire du vélo ? demande Théo.

— D'accord ! Mais juste dans les rues calmes autour de la maison, pas plus loin… et avec le casque ! ajoute Flora en levant un peu la voix pour se faire entendre des enfants, qui se sont déjà précipités vers la petite cabane où elle range les vélos.

Estelle s'apprête à y aller de sa recommandation, mais Manon ne lui en laisse pas le temps. Casque sur la tête, elle fonce embrasser sa mère et lève l'index avec une mimique faussement sérieuse.

— Sur le trottoir, on sait, maman !

Flora regarde son amie et hausse les épaules en souriant.

— Ils grandissent !

Estelle lui rend son sourire. *Bon, c'est la vie, il est temps de lâcher du lest et de lui faire confiance...* Elle hoche la tête.

— Oui, parfois j'ai l'impression qu'il est loin, mon bébé ! En ce moment, son truc, c'est l'aïkido. Une vraie passion ! Et ça la rend plus dégourdie. Enfin *encore* plus dégourdie... Et Théo ? Il est content de ses cours de danse ?

— Oh, tu ne peux pas savoir, il est tellement heureux ! On dirait qu'il a trouvé sa voie...

— À propos de voie, enfin de voix, dit Estelle avec un sourire en coin, tu sais que je prends des cours de chant ?

— Non, pas possible... toi ? Enfin, je veux dire... ouah, c'est fabuleux !

Estelle éclate de rire.

— Je sais ! Moi aussi, si on m'avait dit ça... Enfin, ne nous emballons pas non plus, quand je dis *des* cours, j'exagère un peu... En fait, j'ai eu mon premier cours mardi.

— Alors ?

— Eh bien, comme tu dis : ouah ! Mon prof est un ami de ma voisine, Béa... Béatrice. Tu sais ? Je t'ai parlé d'elle, elle s'occupe de Manon le soir, avant que je rentre. Il s'appelle Dario, c'est un chanteur lyrique à la retraite, un ténor. Un type solaire, comme sa voix, très à l'aise dans son corps, instinctif, complètement détaché des questions rationnelles. Tout le contraire de moi ! Et tu ne peux pas savoir comme c'est reposant. Il parle de son expérience uniquement à partir de ses ressentis. Un peu comme...

Estelle marque une pause et Flora l'interroge du regard.

— Comme... ? insiste-t-elle.

— Comme Raphaël.

— Ah, tu l'as revu ?

— Mais pourquoi tout le monde me pose toujours la même question ?! s'indigne Estelle.

— Oh, là, du calme ! Qui est ce « tout le monde » ?

— Euh... Antoine.

Flora ne peut s'empêcher de rire.

— Ne te moque pas.

— Je ne me moque pas, mais ça ne m'étonne pas qu'Antoine t'ait aussi posé la question. Pour nous, c'est une évidence.

— Quoi ? Quelle évidence ?

— Que Raphaël est un type en or et que vous allez bien ensemble...

Estelle souffle et tape rageusement sur la table. Flora lève les sourcils, sans bien savoir sur quel pied danser.

— Eh bien en tout cas, ça te fait de l'effet !

— Désolée... J'en ai vraiment ras le bol.

— De quoi ?

— Tu ne vois pas que je suis la reine des nulles avec les hommes ? Je fais toujours tout foirer !

— Mais qu'est-ce que tu racontes, Estelle ?

— Eh bien, je ne sais pas, moi… C'est évident, non ?

— Pas vraiment, non…

— Écoute, ce n'est pas grave, parlons d'autre chose, je ne suis pas à l'aise pour parler de ça…

— Tu n'es pas à l'aise pour parler de ça avec moi ? Mais si tu n'en parles pas avec ta meilleure amie, avec qui veux-tu en parler ?

— Je suis ta meilleure amie ?

— Tu ne t'en étais pas rendu compte ?

— Euh, je ne sais pas…

Le regard pétillant, Flora lui adresse un immense sourire.

— Eh bien, voilà, maintenant tu sais : c'est officiel, tu es ma meilleure amie ! Et je te préviens, c'est pour la vie.

Déstabilisée, Estelle ouvre de grands yeux.

— Je… je ne suis pas habituée à ce qu'on s'intéresse à moi.

— Ah oui ? Alors ma chère, à partir d'aujourd'hui, tu vas devoir t'y habituer, reprend Flora d'une voix faussement solennelle. Mais revenons à nos moutons. Quelle est cette histoire avec les hommes ? Quel est le problème ?

Le visage d'Estelle se contracte ; elle semble sur le point de pleurer.

— En fait, si tu veux savoir la vérité… Ils me répugnent, bon sang ! Je les méprise. Tous ! Enfin presque tous. La plupart ne pensent qu'à eux. Ils veulent seulement tirer leur coup et ensuite *basta*, c'est fini, *ciao*. On se retrouve comme une vieille chaussette oubliée dans un coin !

— Ça alors… et tu penses que tous les hommes sont comme ça ?

— Oui. En tout cas ceux à qui j'ai eu affaire. Ils me dégoûtent. Je ne veux plus me faire avoir, c'est fini.

— Tu vas rester seule ?

— Oui.

— Sans amour, sans tendresse… sans sexualité ?

— Oui.

— Taratata… à d'autres, ma belle, à d'autres !

— Quoi ? Tu ne me crois pas ?

— Non !

Les deux femmes restent silencieuses un moment, les yeux fixés sur le jardin qui semble flamboyer sous le soleil déjà déclinant.

— Tu veux encore un peu de mon rooibos ? demande Flora pour détendre l'atmosphère.

— Oui, merci, dit Estelle dans un souffle.

— En fait, tu as peur de souffrir, alors tu te protèges à fond et tu fermes tout à double tour.

— Mais… arrête, gémit Estelle, les larmes aux yeux. Oui, j'ai peur de souffrir, et alors ? Ce n'est pas un crime ! J'ai eu trop mal, trop mal, je ne veux plus me faire avoir. C'est fini.

— La vie n'est pas finie, cocotte. Tu ne vas pas devenir nonne. Les hommes existent, ils ne peuvent pas tous te laisser indifférente.

— Bah…

— D'autant que Raphaël n'a pas franchement le profil des hommes dont tu parlais.

— Qu'est-ce que tu en sais ? Tu t'appelles madame Irma, peut-être ?

— Je préfère madame Soleil, s'esclaffe Flora en s'étirant paresseusement. Je plaisante, Estelle… Je trouve que Raphaël a du cœur, un grand cœur même. Il est généreux. Il est vraiment tendre et il a une façon de te regarder qui ne trompe pas.

— Qu'est-ce que tu veux dire ?

— Je veux dire qu'il te trouve belle, mais qu'il ne s'intéresse pas qu'à ton corps. Il s'intéresse à toi, Estelle, à la personne que tu es.

Estelle esquisse une moue dubitative.

— Tu m'en diras tant.

— Bon, écoute, je ne veux pas t'embêter mais, à mon avis, tu ferais bien de le rappeler, juste pour lui faire un petit coucou, lui donner des nouvelles. Après tout, qu'est-ce qu'il a fait pour mériter que tu le jettes comme ça ? Et puis tu crois qu'un type comme lui, ça se trouve à chaque coin de rue ? Allez, laisse-lui sa chance ! Au moins comme ami.

— Tu crois ? lâche timidement Estelle.

Une voix joyeuse les interrompt.

— Bonsoir, jolies dames, lance Pascal en les rejoignant à table.

— Tu arrives dans un rayon de lumière, mon ange, lui glisse Flora amoureusement. Viens plutôt m'embrasser, cher prince charmant !

Tandis qu'ils s'embrassent, un peu trop langoureusement au goût d'Estelle, qui se sent gênée comme une petite fille, elle songe que, tout de même, cela semble bien doux de pouvoir aimer et embrasser un homme.

*Et si elle avait raison ? Je vais rappeler Raphaël. Après tout, qu'est-ce que je risque ? Ça ne m'engage à rien.*

— Où sont les enfants ? demande Pascal.

— Ils sont allés faire du vélo. Tu irais les chercher pour le goûter ?

— D'accord. Reste assise, je m'occupe de tout !

Pascal repart de son pas souple, et Estelle se tourne vers son amie :

— Tu en as de la chance…

— Il ne tient qu'à toi d'en avoir autant, Estelle. Sois généreuse, donne, donne encore, partage et tu verras. Ta vie ne sera plus la même…

Je donne.

## 10

Estelle pose le doigt sur l'interrupteur, puis se ravise et se dirige vers la grande fenêtre du salon, qui donne sur de petits pavillons anciens, modestes et pimpants, dissimulant à l'arrière courettes et jardins secrets. Les rideaux sont pourtant grand ouverts et des carrés de lumière commencent à se découper sur les façades, révélant l'activité tranquille de cette fin de dimanche. *Déjà ? Il est tout juste six heures !* Une sensation étrange s'abat sur elle, tandis que l'obscurité semble s'insinuer dans son esprit comme en écho à ses ombres intérieures. Elle pose la main sur son front, sort plus précipitamment qu'elle ne l'aurait souhaité et sonne à la porte d'en face. Béatrice ouvre, surprise, et tend le cou pour regarder derrière elle.

— Manon n'est pas avec toi ?

— Elle regarde un dessin animé. Je viens juste discuter un peu.

Béatrice lui fait signe d'entrer.

— Qu'est-ce qui t'arrive, ma grande ? Tu n'as pas l'air dans ton assiette. Allez viens, mets-toi à l'aise. Tu veux du thé ? Je viens de m'en faire.

Estelle accepte et s'effondre dans un fauteuil plutôt qu'elle ne s'assied. Elle peine à s'exprimer.

— Je m'en veux… Je me suis fâchée très fort contre Manon… Pour un rien, en plus. Je me déteste quand je fais ça. Je m'en veux tellement après.

— Oui, je comprends. Tu veux en parler un peu ou tu préfères causer d'autre chose ?

— Pardon de t'embêter avec ça, mais il faut que ça sorte. Je me sens à bout en ce moment. Je travaille trop, je prends beaucoup sur moi au boulot alors, à la maison, j'explose. Je me défoule sur Manon alors qu'elle n'y est pour rien.

Estelle marque une pause et regarde Béatrice, qui l'écoute attentivement, puis elle reprend :

— Je me mets la pression, je suis mon propre tyran. Il y a une espèce de critique féroce à l'intérieur de moi, qui m'en demande toujours plus et me dévalorise systématiquement, quoi que je fasse… Béa… J'ai un côté obscur que je ne montre pas. Avec les autres, je donne le change, mais je ne suis pas dupe de moi-même.

Béatrice fronce les sourcils et lui tend une tasse fumante.

— Que veux-tu dire ?

— Je fais semblant d'aller bien, dit Estelle en prenant la tasse avec reconnaissance. J'essaie de faire croire que je suis heureuse, mais je n'y crois pas moi-même. Je vois bien que je trompe mon monde.

— Pourquoi ?

— Parce que j'ai honte, parce que je n'ai pas envie qu'on parle de moi en disant que je suis une ratée ou une chieuse !

En disant cela, elle tremble légèrement et fait tomber sa cuillère. Lorsqu'elle se penche pour la ramasser, elle sent la main de Béa se poser sur son épaule.

— À ce point ?

La chaleur, l'énergie que dégage la paume de Béatrice fait légèrement baisser la tension en elle. Estelle se tait un instant, les yeux baissés, la respiration moins rapide.

— Quand je ne vais pas bien, j'en rajoute, murmure-t-elle, je noircis le tableau à l'extrême. Je deviens excessive, autoritaire, même. À force d'encaisser, d'accumuler, je m'exaspère pour un rien et c'est Manon qui trinque. Ça me désespère.

— Ce que je comprends, surtout, c'est que tu en fais trop. Tu devrais te reposer, tu verras, ça résoudra beaucoup de choses.

Estelle hoche tristement la tête.

— Si seulement j'en étais capable…

Elle se redresse et regarde Béatrice droit dans les yeux. Celle-ci hausse les sourcils en la voyant serrer les poings et s'emporter.

— J'écris des listes de choses à faire sur des petites fiches, puis je coche ce que j'ai fait, je souligne ce que je n'ai pas encore fait, j'entoure ce que je dois absolument faire… Je me force à travailler sans cesse pour être irréprochable. Tous les jours, je m'épuise sur mon fichu tapis de course ; je m'en impose toujours plus. Et à table, c'est pareil… Je m'oblige à manger très peu, surtout rien de gras ou de sucré. Rien de bon, quoi, ajoute-t-elle avec un soupir. Dans mon placard, je n'ai que des basiques, des vêtements noirs ou bleu marine, des chemisiers blancs, pour le bureau. Enfin rien qui puisse attirer le regard des hommes sur mon corps. De toute façon, j'ai jeté le seul homme qui s'intéressait un peu à moi. Pitoyable non ?

Béatrice ne répond pas et la laisse poursuivre sans la lâcher du regard.

— Ah oui, j'allais oublier, je ne supporte pas le désordre dans la maison et j'empoisonne Manon avec ça… Je suis vraiment pathétique. Une pauvre fille, oui !

Estelle enfouit le visage dans ses mains et fond en larmes.

— Pleure, pleure, tu as besoin de pleurer.

Béatrice se lève et vient se placer derrière elle. Elle pose une main dans son dos et, de l'autre, lui caresse doucement les cheveux. Tout le corps d'Estelle est secoué de sanglots. Elle pleure comme une toute petite fille. Un chagrin ancien, abyssal, semble remonter du plus profond de ses entrailles.

— Oh, là, là, laisse-toi aller, laisse sortir toute cette tristesse…

Lorsque la jeune femme se redresse un peu, les yeux pleins de larmes, elle regarde autour d'elle, légèrement hagarde. Béatrice est accroupie à côté d'elle et lui sourit, l'engageant à parler.

— La dernière fois que j'ai pleuré, il y a bien long-temps, lorsque le père de Manon est parti, je me suis sentie infiniment seule. J'avais froid, je grelottais. Je n'arrivais plus à aligner deux mots. Je me sentais complètement abandonnée.

— Tu étais seule, vraiment toute seule, et personne à qui parler, personne pour te consoler.

Surprise par l'exacte évidence des propos de Béatrice, Estelle se rend soudain compte que jusqu'à présent, personne n'avait reconnu sa peine, qu'elle était restée toutes ces années sans consolation, portant seule le poids de sa déception et l'amertume de ses désillusions… mais elle préfère ne pas parler de tout cela pour l'instant. Elle essuie ses larmes et revient à des préoccupations moins intimes.

— C'est vrai que je suis fatiguée et sous pression. Je travaille trop, tu as raison, et je suis sans doute plus nerveuse qu'avant. Mais ça n'excuse pas tout. En fait…

Béatrice se lève et retourne s'asseoir en face d'elle, l'encourageant à poursuivre d'un léger geste de la main.

— En fait ?

— Je ne sais pas. Peut-être… En fait, je crois que j'en ai marre de ce boulot.

— Ah oui ?

— Ça fait bientôt dix ans que je travaille à Planète Verte, tu sais. Depuis le début. C'était une petite équipe, et j'étais la seule à faire la comptabilité. À l'époque, ça m'allait, c'était même enthousiasmant d'accompagner des projets, de les cadrer. Depuis, la pépinière s'est considérablement développée et je suis toujours la seule comptable. Il y a de plus en plus de travail… En fait, en ce moment, je me rends compte que ce n'est pas mon projet. Mon projet professionnel… mon projet de vie, même. Bien sûr, je suis motivée par l'écologie et l'économie solidaire, mais ce n'est pas mon rêve. À vrai dire, j'aimerais bien travailler pour moi, maintenant. Faire quelque chose qui me motive, moi.

— Tu y as réfléchi ?

Estelle hoche la tête, et un sourire timide vient discrètement éclairer son visage.

— Qu'est-ce que tu aimerais faire ?

— Depuis longtemps, je rêve d'ouvrir un salon de thé un peu original.

— Tu peux venir nous aider à Lutopie, si tu veux !

— C'est une bonne idée, merci… Mais ce ne serait pas mon projet non plus.

— Tu préfères être indépendante ?

— Oui, probablement. En même temps, ça me fait peur et…

La sonnette retentit à la porte d'entrée. Estelle s'interrompt tandis que Béa va ouvrir la porte à une petite Manon penaude, presque effrayée, comme si elle craignait de ne pas être la bienvenue.

— Entre, ma puce, lui dit Béatrice, rassurante, en lui tendant la main. Je vais vous faire à dîner. Il n'y a rien de mieux qu'un bon repas entre amis pour chasser le blues du dimanche soir !

Puis elle se dirige vers Estelle, qui s'est levée, et la serre longuement dans ses bras.

— Tout va bien, maintenant, tu n'es plus seule. Je suis là, avec toi. Tu peux compter sur moi.

D'abord un peu gênée par cette manifestation de générosité et d'affection, Estelle se détend rapidement, accepte la chaleur de l'étreinte et se laisse aller, s'abandonne complètement dans les bras de son amie. Elle sent alors, pour la première fois depuis tant d'années, son corps lâcher et sa respiration se libérer de l'immense poids de toujours devoir faire face toute seule à ce qui lui arrive.

Soulagée de voir sa mère se détendre, Manon s'approche d'elle et lui prend doucement la main. Estelle lui caresse les cheveux avec tendresse.

Je me laisse aller.

## 11

— Bon, aujourd'hui, ma chère, tu laisses les doutes au vestiaire, d'accord ? On ne peut pas chanter si on doute tout le temps de soi et qu'on se pose mille questions. Le chant, c'est physique !

Estelle regarde Dario avec de grands yeux, surprise et légèrement décontenancée par sa demande sans concession. Elle pose ses affaires et son sac sur une chaise, et revient se placer devant lui.

— D'accord, finit-elle par répondre, pas très sûre d'en être capable.

Cela fait déjà deux mois qu'Estelle vient toutes les semaines apprendre à chanter avec Dario. Comme au début de chaque cours, il lui propose de s'étirer, de se détendre et de respirer, en laissant le souffle la déborder.

— Laisse-toi aller. Vas-y, souffle à fond, puis laisse l'air entrer. Voilà. Encore, tu peux prendre deux fois plus d'air. Lâche, lâche… oui, voilà, c'est mieux ! Tu sens tout l'air qui peut entrer en toi, c'est énorme, non ?

— Oui, cette fois, en plus des côtes, j'ai senti mon dos s'ouvrir tout en bas, puis à la fin, j'ai même senti une ouverture entre les omoplates, comme si j'avais gonflé un ballon là aussi...

— *Brava*, c'est ça ! On y est, tu te laisses pénétrer par le souffle, c'est formidable ! Allez, chantons.

Sur les exercices bouche fermée, puis les premières vocalises, Dario demande à Estelle de faire comme si elle tirait sur un élastique imaginaire, tendu entre ses mains.

— Tu tires lentement sur cet élastique tout le temps de la vocalise, de façon continue, sans à-coup, au même tempo, et à chaque respiration, tu reviens au point de départ... Tu sens que tu t'arrêtes puis tu reprends ? En fait, tu fais pareil avec le souffle : tu donnes du souffle puis tu arrêtes, donc la voix retombe, à chaque fois.

Estelle essaie, reprend, puis fait une pause.

— Pas facile !

— La continuité du souffle est le secret du *legato*, ce chant tout le temps extrêmement lié qui fait la magie du *bel canto*. En plus, c'est bon pour le moral. Plus ton souffle est continu, plus chanter devient euphorisant. Si, si, c'est vrai ! On aurait tort de s'en priver, n'est-ce pas ?

Sur des vocalises un peu plus longues, Dario propose à Estelle de troquer l'élastique contre un arc, qu'elle tiendrait de la main gauche et dont elle tirerait la corde de la droite, lentement, tout le temps du chant.

— Très bien, c'est mieux, mais tu t'arrêtes encore de temps en temps. Maintiens la connexion avec le souffle à chaque seconde, sans relâcher. C'est ça le soutien du souffle... oui, très bien. Tu entends comme la voix résonne ? Elle devient facile, aérienne et, en même temps, elle sonne mieux.

Visiblement heureuse de ses nouvelles prouesses, Estelle sourit.

— Ah, dis donc, quel changement, c'est la première fois que je te vois aussi souriante, s'exclame Dario, ravi. C'est très bien ! Pour le chant aussi. Quand on chante, on cherche aussi un sourire intérieur, une gorge riante, des yeux rieurs. Cela met de la lumière dans la voix. Surtout, essaie de trouver en toi l'effet physique d'une surprise. Qu'est-ce que tu sens ?

Estelle s'y reprend à plusieurs fois, puis laisse venir à elle ces sensations nouvelles. Elle cherche à mettre des mots dessus et claque soudain des doigts. Elle laisse échapper un petit rire devant l'incongruité de ce geste.

— J'ai l'impression de trouver des espaces dans ma tête.

— Oui, c'est ça, exactement, les espaces du chant ! Essaye de chanter en gardant tous ces espaces ouverts, comme des trous d'air ou comme une grande cathédrale à l'intérieur de toi.

Estelle chante, heureuse de cette découverte.

— Ah, eh bien ! Nous sommes en train de découvrir une nouvelle femme ! La Belle au bois dormant vient de se réveiller, on dirait… Allez, recommence. Voilà. Pense à l'arc, oui, laisse faire le souffle en toi, laisse faire la sagesse du corps. Très bien.

Visiblement détendue et épanouie, Estelle sent que son corps occupe de la place dans l'espace, comme si elle retrouvait des dimensions oubliées : devant, sur les côtés, derrière elle, tout à la fois. Elle est émerveillée par ce qu'elle ressent.

— C'est fabuleux, Dario, j'adore !

— Le chant est éminemment érotique. Voilà pourquoi on adore l'opéra – ou on le déteste.

— Et les aigus, fais-moi faire des aigus, insiste Estelle.

— Ha ha, tu y prends goût ? Tant mieux, c'est bon signe... Pour chanter facilement les aigus, tu vas apprendre à baisser ton larynx et à légèrement le laisser basculer vers l'avant.

Dario lui fait la démonstration d'une note chantée avec un larynx haut, puis la même note chantée avec le larynx détendu, plus bas et légèrement basculé.

— Tu entends la différence ? C'est la seule façon d'aller vers l'aigu, sinon ta voix plafonne, tu forces sur les cordes vocales et tu deviens aphone. Alors essayons. Pour trouver la bonne position du larynx, tu vas commencer par bâiller.

Estelle bâille plusieurs fois. En suivant les indications de Dario, elle pose sa main sur son cou et sent le larynx descendre. Il lui précise comment chanter ainsi.

— Ce qui importe, pour chanter, c'est le début du bâillement, quand le mouvement commence. Tu vas d'abord essayer sur les notes de passage entre le grave et l'aigu.

Peu à peu, grâce à la persévérance bienveillante de Dario, Estelle se familiarise avec ce geste délicat. Lorsqu'elle se sent à l'aise, Dario l'encourage à chanter plus aigu sur une vocalise un peu plus longue. Il est lui-même stupéfait de ce qu'il entend.

— Toi, tu as un talent caché ! Ça t'a plu ?

— Oh, oui, c'est incroyable ! Aller dans les aigus me fait tourner la tête, littéralement...

— Encore mieux ! Cela produit exactement cet effet-là. Félicitations, Estelle ! Ça me fait penser à une grande amie soprano. Leontina Vaduva. C'était une chanteuse d'un talent inouï, et pourtant elle continuait à prendre des cours de chant régulièrement, même au sommet de son art. Elle m'a confié un jour que, pour elle, apprendre à chanter était comme faire une psychanalyse. Je suis d'accord avec elle, la preuve ! Je dirais même que cela va plus loin puisque tu es directement confrontée à la réalité de ton corps. Tu ne peux plus l'esquiver par des discours ou des raisonnements. Chanter te met radicalement face à toi-même. Un jour, on traverse le rideau d'angoisse. On se propulse de l'autre côté, comme on apprend à nager... Allez, ça suffit pour aujourd'hui. On se voit la semaine prochaine ?

— Avec plaisir, lance Estelle, surprise par son propre enthousiasme.

— Ah, surtout, va écouter Sonya Yoncheva et Jonas Kaufmann dans *Don Carlos* à l'Opéra Bastille. Ils sont époustouflants ! Les autres aussi, d'ailleurs. Ne manque pas ça, il ne reste que quelques représentations.


La jeune femme attrape ses affaires et gagne la rue d'un pas léger et assuré qu'elle ne se connaissait pas. Sa démarche est ample, souple ; elle perçoit le mouvement de balancier de ses bras qui l'équilibrent, le rythme de son souffle régulier et facile. Son corps n'est plus une entrave ; ce soir, elle est incarnée, bien dans cette peau qui est la sienne. Au large, à l'aise. Elle sent aussi poindre un désir depuis longtemps endormi. La plaisanterie de Dario sur le réveil de la Belle au bois dormant lui revient à l'esprit… Sans attendre que les anciennes habitudes reprennent le dessus, elle sort son téléphone de son sac et appelle Raphaël, qui lui répond, manifestement aussi surpris qu'heureux. Tellement heureux qu'il l'invite à dîner. Estelle accepte aussitôt. Elle n'en revient pas elle-même… *Décidément, chanter est une activité pleine de belles surprises !*

Je respire à pleins poumons.

## 12

*Chère Béatrice,*

*Quand tu recevras ma lettre, tu seras sans doute déjà arrivée chez ton fils. Comme je t'envie d'être à Annecy ! J'adore cette ville, avec son lac et ses jolis canaux, ses vieilles maisons… Je me rappelle le soleil sur les petites places fleuries et les montagnes toutes proches. Ça fait longtemps que je n'y ai pas mis les pieds, mais je suis sûre que rien n'a changé. Enfin bref, j'espère que tu vas pouvoir te reposer, parce que entre Lutopie, tes élèves, Manon le soir et moi qui viens t'embêter avec mes questions existentielles, tu dois manquer de temps pour toi. Je ne sais pas comment tu fais, d'ailleurs. Je t'admire.*

*De mon côté, je dois dire que je vais beaucoup mieux. La meilleure preuve, c'est que je délaisse de plus en plus mon tapis de course pour aller courir dans le bois de Vincennes ou même pour me promener avec Manon, tout simplement. Si, si, tout arrive, tu vois ! Je crois que ce changement doit beaucoup à Dario… J'en suis même certaine. Ses cours de chant me font un bien, tu ne peux pas savoir ! Enfin si, tu peux, c'est* tout de même toi qui me l'as présenté... Cet homme est fabuleux, je l'aime énormément. Il fait sortir de moi des sons que je ne pouvais même pas imaginer, et chaque fois très simplement, comme si ça allait de soi. Dario n'aime pas les efforts inutiles et encore moins le malaise, il cherche toujours à rendre la vie facile, et le chant aussi, bien entendu. Quand je sors d'un cours avec lui, je me sens vraiment bien, remplie d'une bonne énergie. L'effet positif dure de plus en plus longtemps, mais mes doutes, les contraintes et le stress du quotidien reviennent encore trop vite. Je fais de mon mieux pour « lâcher prise ». Je ne me mets plus (trop) la pression. Enfin, j'essaie... Comme tu me l'as dit, « nous sommes tous en chemin ». Je me le répète souvent et ça me permet de relativiser. Tout ça pour dire que toi aussi, je te dois beaucoup, Béa.

Du chemin, j'en ai encore à parcourir. Par exemple, pour être moins autoritaire. Ça me chagrine, surtout quand c'est Manon qui trinque, mais je suis incapable de lâcher ce fichu contrôle des autres, des situations et surtout de moi-même. Tu as raison, je suis profondément angoissée, alors tout contrôler m'aide à élever un barrage contre mes angoisses, aussi peu efficace que celui de Marguerite Duras contre le Pacifique ! (Eh, quel progrès, tu vois ? Maintenant, je fais même de l'humour... ☺)

Cela dit, je vis mieux cette agressivité depuis que j'ai compris que ça pouvait aussi être une force de vie, et que je ne pouvais pas tout accepter non plus. Certaines colères sont saines, elles font du bien et posent des limites, mais je m'emporte encore trop souvent, parfois pour des riens... Enfin, tu vois, j'ai encore des progrès à faire pour me laisser vivre et faire confiance (aux autres autant qu'à moi).

À propos de me lâcher, tu ne devineras jamais... L'autre soir, en sortant du cours avec Dario, je me sentais tellement bien que j'ai appelé Raphaël ! Eh bien figure-toi qu'il m'a invitée à dîner. Oui, oui ! C'est pas fabuleux, ça ? Bien sûr, j'ai une de ces trouilles... J'ai peur de ne plus lui plaire, qu'il me trouve moche, mal fagotée, de ne pas savoir quoi lui dire... Enfin tu vois. J'ai peur qu'il m'embrasse, aussi, et en même temps j'en meurs d'envie. Enfin mes frousses et mes contradictions habituelles, quoi !

Donc pour me détendre, je fais les étirements que m'a montrés Dario et je respire à fond, comme si j'allais chanter à la Scala... Bon, j'exagère un peu, c'est vrai, mais c'est l'idée. Je fais aussi les exercices Vittoz que tu m'as appris : le signe de l'infini ; le grand « I » majuscule de haut en bas, en disant « je » ou « je suis », pour m'affirmer, ou juste en soufflant lentement ; le carré que je dessine devant moi puis que j'efface trait par trait. Tout cela avec une main puis avec l'autre, les yeux ouverts puis les yeux fermés, et ça m'aide, pardi, oui ! Bon, ce n'est pas magique non plus, mes angoisses sont encore mes compagnes les plus proches, un peu collantes même... En tout cas, ça m'aide.

Ah oui, Antoine m'a conseillé de faire du tri chez moi. Décidément, tout le monde se mobilise pour faire du bien à la pauvre Estelle ! Enfin bon, l'idée m'a plu, alors je me suis lancée. J'ai mis la musique à fond (oui oui), des chansons de mon adolescence, et je trie en dansant. Si, je t'assure, moi, Estelle-la-teigneuse, je me lâche et je virevolte sur moi-même. Eh bien, crois-moi *ou pas, j'ai fait un de ces tris... Jamais je n'aurais pensé en être capable. En tout cas, Antoine avait raison : trier et jeter, ça allège vraiment. Ça a l'air bête ou évident, dit comme ça, mais c'est vrai, c'est bon pour le moral. En plus, la musique semble bien plaire à Manon, qui vient faire ses passes d'aïkido sous mon nez, en rythme. Enfin je ne sais pas si « passes » est le mot juste... Mais c'est chouette !*

*Voilà, comme d'habitude, je tourne autour du pot ! Le jour où je saurai mettre des mots sur mes sentiments, on pourra dire que j'aurai vraiment progressé... Ce que je voulais surtout te dire, ma Béa, c'est que ton arrivée dans ma vie a déjà chamboulé bien des choses. Alors surtout, surtout, continue, ne t'arrête pas, reste comme ça dans nos vies. J'ai tellement besoin de toi, de ton aide, de tes rires, de tes encouragements, de tes bras qui me serrent contre toi... En plus, comme cordon bleu, tu te poses un peu là, et je crois que tu es en train de me redonner goût à la vie grâce à tes petits plats mijotés. Un miracle, non ?*

*Il était temps, tu me diras ! Mais bon, ma mère ne s'est jamais vraiment occupée de moi, alors d'une certaine façon, je reviens de loin. Oh, ne t'inquiète pas, je ne te prends pas pour ma mère, ou pour une mère de remplacement... Mais tout de même, je suis rudement contente que tu sois là !*

*En faisant le grand tri, je n'ai gardé qu'un seul vinyle de mon enfance.* Le Petit Prince, *de Saint-Exupéry, lu par Gérard Philipe. Oui, c'est sentimental, je l'avoue, mais il était dans le même lycée que mon père, sa famille habitait dans l'immeuble d'à côté. Alors, comme je n'arrivais pas à lâcher ce disque, je me suis dit : « Si c'est difficile pour moi, ça l'est peut-être tout autant pour les autres. » Tu vois, maintenant j'essaie de ne pas m'en demander trop.*

*Bon, je ne vais pas te tenir la jambe plus longtemps, tu as bien d'autres choses à faire, et avant tout, te reposer. Tu me le promets ? Profite bien du grand air des montagnes et reviens-nous en superforme...*

*Je t'embrasse bien fort, ma Béa, autant que Manon, qui n'arrête pas de parler de toi, à la moindre occasion. Tu es devenue une sorte d'idole pour elle, et comme je la comprends...*

*Allez, ouste, je vais mettre la lettre dans l'enveloppe, coller le timbre et sortir sans attendre pour la poster. Tu as vu le beau papier vert d'eau que j'ai trouvé ? Pas mal, non ?*

*Cette fois-ci, je te laisse tranquille... À bientôt, Béatrice ! Grosses bises,*

*Estelle.*

# HIVER

## 13

La nuit est déjà tombée. La température, elle aussi, a chuté ; il fait même si froid qu'Estelle se demande si la fine bruine qui descend en douceur sur Paris ne serait pas la première neige de la saison. Elle lève la tête, bouche ouverte, dans l'espoir d'attraper de minuscules flocons, et manque de rentrer dans une femme qui sort d'une boutique, les bras chargés de paquets. Puis elle évite in extremis un groupe de touristes semblant surgi de nulle part et se dirigeant droit vers les vitrines du Bon Marché, où une armée de poupées et de peluches s'affairent autour de luxueux bagages portant l'emblème d'un célèbre maroquinier. Elle s'arrête un instant pour admirer l'animation et se demande si les jeunes filles, à côté d'elle, qui poussent de petits cris de joie, sont plus impressionnées par les jouets ou par les sacs. *C'est Noël, quoi ! La saison du rêve et de la consommation.* Estelle secoue la tête. *Incorrigible ! Et si je m'autorisais à m'amuser un peu, moi aussi, pour une fois ?* Progressivement, elle se laisse gagner par l'euphorie ambiante et se surprend à apprécier l'atmosphère si particulière qui règne autour du grand magasin, dont les illuminations la laissent songeuse, agréablement perdue dans des souvenirs d'enfance. Un sourire flottant sur le visage, elle s'extrait de la foule et se dirige vers la rue de Vaugirard, où vit Raphaël.

Une façade discrète, en meulière et briques rouges. *J'avais oublié que son immeuble était aussi charmant.* Estelle admire quelques secondes les proportions harmonieuses du petit bâtiment avant de composer le code et de pousser la porte cochère. Elle traverse une première cour, qu'elle peine à reconnaître sans la végétation luxuriante qui lui donnait des airs de jungle urbaine la dernière fois, puis une deuxième, et prend l'escalier sur la droite. Troisième étage. *Mmm, ça sent bon...* Les marches en bois blond embaument la cire d'abeille et font ressortir le turquoise éclatant du tapis fraîchement nettoyé. Elle frappe quelques coups légers à la porte, soudain consciente du trac qui noue sa gorge et accélère sa respiration.

— J'arrive, lance Raphaël de l'autre côté de la porte.

Une seconde après, il est devant elle, le visage ensoleillé par un ample sourire. Estelle recule d'un pas pour mieux le voir, à la fois intimidée et ravie.

— Je n'arrive pas trop tôt ?

— Trop tôt ? Tu plaisantes ? Depuis ce matin, je me sens comme un gamin qui attend le père Noël... Enfin sans la barbe... et en plus joli ! Bref, tu m'as compris, je ne tiens pas en place ! lance-t-il joyeusement en lui faisant la bise. Allez, entre !

Estelle rit doucement et avance dans un petit couloir aux murs décorés de photographies d'arbres, de ciels nuageux et de clairs de lune.

— C'est toi qui as pris ces photos ?

— Oui, pendant mes promenades en forêt...

— Elles sont très belles.

— Je suis content qu'elles te plaisent. Viens, pose tes affaires là, propose Raphaël en désignant un fauteuil à l'entrée du salon. Excuse-moi une minute, je relance le feu.

Il se dirige vers la cheminée, prend une bûche dans le panier, qu'il pose sur les braises, et souffle deux ou trois fois avant qu'une flamme ne surgisse des cendres. Sur un guéridon, Estelle remarque un livre de Vladimir Jankélévitch, *Le Je-ne-sais-quoi et le Presque-rien*. Décidément, Raphaël est inclassable ! Philosophe-guide-forestier passionné par le chamanisme... Une sorte de mélange détonnant qui l'attire et l'impressionne en même temps.

— Je suis heureux que tu sois là, souffle Raphaël en revenant vers elle.

— Moi aussi, lâche Estelle, presque malgré elle.

— Je t'offre un jus de légumes frais ?

Elle hoche la tête.

— Avec plaisir. Qu'est-ce que tu as ?

— Que dirais-tu d'un jus d'avocat, betterave, carotte, avec du céleri, du concombre, du persil, un kiwi, du citron et du citron vert ?

— Euh... oui, pourquoi pas ? En tout cas c'est un mélange original, dit Estelle, comme sur la défensive.

— Viens, on va le préparer ensemble, ensuite tu m'aideras à faire la cuisine, si tu veux bien...

Raphaël sort un disque de Lisa Ekdahl, dont la voix douce enveloppe les notes d'un jazz soyeux et sensuel, puis il prend Estelle par la main. Surprise, la jeune femme hésite un instant et se laisse conduire à la cuisine. Il prépare le jus, le verse dans deux grands verres, en tend un à Estelle et trinque avec elle.

— Allez goûte, c'est encore meilleur quand c'est tout frais.

Estelle trempe ses lèvres et ses yeux s'écarquillent.

— Oh ! C'est délicieux, Raf...

— Ravi que ça te plaise ! Bon, c'est pas tout ça, mais on a du travail. Au menu de ce soir, tourte au potiron, salade d'endives aux noix et riz thaï avec des lentilles corail... La tourte est déjà au four, tu vas m'aider à préparer les lentilles au lait de coco.

Mêlant les gestes à la parole, Raf l'entraîne dans une chorégraphie gastronomique, se trémoussant de temps à autre au rythme de la musique, ce qui fait rire Estelle. Elle s'autorise elle aussi quelques discrets déhanchements et fredonne doucement sur la musique.

— Estelle qui chante ?

La jeune femme rougit et s'interrompt, mais reprend aussitôt dans un éclat de rire lorsque Raf fait mine de la gronder.

— On va y ajouter une poignée de noix de cajou. Tu peux me donner une tomate et les feuilles de coriandre, là, juste à côté des fruits ? Alors on a dit lait de coco, gingembre, une gousse d'ail, curcuma et curry... Si je me souviens bien, tu ne mets pas de sel ?

— Non je n'en mets pas, c'est vrai. Quelle mémoire !

— Tu peux faire tremper les noix de cajou dans une bonne moitié de ce lait de coco ? Je vais faire cuire les lentilles corail à feu doux. Pas trop longtemps, sinon elles se changent en purée.

— Tu veux que je coupe l'ail et le gingembre ?

— Bonne idée. Et tant que tu y es, tu pourrais aussi ciseler les feuilles de coriandre ? Les ciseaux sont dans…

— Le tiroir de gauche ?

Raphaël opine avec un sourire.

— Je vais lancer la cuisson du riz thaï… Voi-là ! Maintenant, je fais revenir les dés de tomate avec l'ail et le gingembre, puis j'ajoute le curry et le curcuma…

— Qu'est-ce que ça sent bon, ta mixture !

— Tss, et encore, tu n'as pas goûté ! Bon, les lentilles sont cuites. Tu vois comme c'est rapide ? Je vais les égoutter et y ajouter l'assaisonnement. On va se régaler ! Je te laisse répartir la coriandre directement dessus…

— À vos ordres, plaisante Estelle.

Emportés l'un et l'autre dans ce tourbillon de couleurs, d'odeurs et de saveurs, ils font mine de se chamailler en dressant le couvert dans le séjour, pour mieux se réconcilier ensuite.

Cela fait longtemps qu'Estelle ne s'est pas sentie aussi bien. Elle se laisse porter et griser par la sensualité de Raf, perçoit avec une évidence presque agaçante à quel point elle se sent attirée par cet homme, chavirée même par l'érotisme tranquille qui se dégage de lui, comme si elle pouvait palper le désir qu'elle lui inspire à travers sa voix, ses gestes, ses postures. Le repas se déroule dans cette même ambiance fiévreuse. Même s'ils ne se touchent pas, ne font que se frôler, même si chacun de leurs regards insistants se termine en fou rire, la tension sexuelle est intense entre eux. Raphaël compose pour Estelle des assiettes colorées et parfumées, et évoque la route des Trolls en Norvège, une randonnée dans le désert dont il voudrait faire l'expérience avec elle, ses projets de ski de fond dans le Vercors après Noël…

— Au fait, qu'est-ce que tu fais pour Noël ? demande soudainement Estelle.

— Rien de spécial.

— Alors, tu te joins à nous, c'est décidé ! Je suis sûre que Manon sera ravie de te voir. Elle parle de toi sans arrêt. Et puis on te présentera Béatrice, notre voisine, une femme extraordinaire… En tout cas, Manon et moi, on l'adore.

— D'accord.

— Tu as dit d'accord ?

Raphaël hoche la tête, visiblement ému. Puis il se lève et prend son bouzouki posé sur une étagère, l'accorde et s'installe sur le canapé. Il pose doucement les doigts sur les cordes en fredonnant une chanson grecque qui semble remonter du fond des âges.

Ébahie, Estelle n'en croit ni ses yeux ni ses oreilles, et encore moins son cœur, qui semble fondre. *Qu'est-ce qui m'arrive encore ?* Elle se lève à son tour et vient s'asseoir en face de Raf, puis se laisse envahir par de douces rêveries qui lui font oublier le temps qui passe…

## 14

— Enfin, il aurait pu m'embrasser !

— Tu es drôle, toi ! Tu jettes un mec qui t'aime passionnément, tu ne lui donnes aucune nouvelle pendant plusieurs mois, puis un beau jour tu lui fais signe, il t'invite chez lui, tout se passe bien... et tu râles ? s'amuse Flora.

— En plus, ma cocotte, ajoute Béatrice, on n'est plus au dix-neuvième siècle. Je te rappelle que les femmes se sont libérées. C'est valable pour toi aussi !

Devant l'air désemparé d'Estelle, elle insiste gentiment :

— Ne fais pas cette tête-là ! Tu aurais pu l'embrasser, toi, si tu en avais tellement envie... Bon allez, on ne se laisse pas abattre ! Tu vas commencer par reprendre un peu de mon gâteau.

Estelle se sert et fait une grimace comique quand Béa lui fait remarquer en riant la taille – minuscule – de la part.

— J'ai dit « un peu », pas « une miette » !

Flora donne l'exemple en se reservant un généreux morceau du cake pomme-poire-cannelle fraîchement sorti du four, qui embaume tout l'appartement.

— Mais ça ne compte pas, toi tu es enceinte ! lance Estelle, en riant, avant de redevenir soudain grave.

— Qu'est-ce qu'il y a ? s'inquiète Flora. Ce n'est pas parce que je…

Estelle secoue la tête.

— Non, non, c'est juste que… rien.

— Arrête, Estelle, la coupe Flora. On ne fait pas une tête pareille pour « rien ». Dis-nous ce qui ne va pas.

Estelle hoche la tête, reconnaissante à son amie de la pousser dans ses retranchements.

— Il y a que… dès qu'un homme s'approche de moi, je me sauve.

Flora lève les yeux au ciel et la regarde de nouveau.

— Ne le prends pas mal, ma belle, mais ça, ce n'est pas nouveau !

— Je sais, mais j'ai besoin de le dire et de le redire. En plus, cette fois, c'est autre chose… c'est Raphaël. J'ai peur de recommencer avec lui, de tout faire pour le décourager.

— C'est parti pour la grande scène du deux ! Estelle, stop. Je te connais bien et cette fois, ça suffit, maintenant je fais mon boulot de meilleure amie !

Estelle la regarde, à la fois surprise et émue, un peu effrayée aussi. Elle semble au bord des larmes.

— Que tu aies le trac, oui, ça se comprend. Que tu veuilles prendre ton temps, bien sûr. Que tu ne sois pas encore très rassurée, pourquoi pas ? Mais à force de répéter que tu fais toujours tout pour que ça capote, tu vas finir par y arriver !

— Je ne le fais pas exprès, proteste Estelle. C'est vrai ! ajoute-t-elle devant l'air dubitatif de son amie. Je doute trop de moi, je me méfie des autres… Par exemple, si un homme me fait un compliment, je pense qu'il ne me voit pas telle que je suis réellement, qu'il m'idéalise et que je vais forcément le décevoir.

Flora s'apprête à dire quelque chose, mais Béatrice pose la main sur son épaule et un doigt sur ses lèvres.

— Tu as raison, Flora, mais peut-être qu'il y a autre chose dans ce que dit Estelle.

Cette dernière hoche la tête et reprend :

— Vous avez raison toutes les deux. Flora, je sais que tu me comprends, que ta sensibilité te permet de percevoir beaucoup de choses en moi... Et puis de toute façon, ça se voit comme le nez au milieu de la figure : je suis angoissée presque tout le temps. C'est épuisant de vivre comme ça, sans cesse dans l'angoisse. Alors je contrôle tout ce que je peux contrôler. Je veux tout gérer. Quand je cours, je compte les kilomètres ; à la piscine, je compte les longueurs ; à table, je compte les bouchées... Je n'arrête pas de compter, comme si ça pouvait m'aider à contenir mes peurs et même à leur faire barrage. Je m'impose de travailler tout le temps, comme si j'étais évaluée en permanence par un jury impitoyable qui ne me passerait rien. Du coup, j'ai l'impression d'être perpétuellement en faute, j'ai peur de mal faire et je me répands en excuses.

Estelle s'interrompt un moment, les yeux perdus dans le vague, puis reprend :

— Lorsque j'étais adolescente, je ne voulais pas être un poids pour mes parents, je ne voulais rien leur coûter. J'ai commencé à faire du baby-sitting à quatorze ans, pour payer mes vêtements... Un peu plus tard, quand j'étais étudiante à Nantes et que je revenais le week-end, je devais participer aux frais de nourriture alors que ma mère ne regardait pas à la dépense quand il s'agissait d'offrir des cadeaux somptueux à ses amies ou à elle-même… Ma mère et moi, c'était quelque chose. Enfin je devrais peut-être plutôt dire « pas grand-chose », ce serait plus juste. Un jour, j'avais quinze ans, à peu près, je suis rentrée du lycée très perturbée. Ma meilleure amie m'avait trahie et j'étais désemparée. Le soir, au dîner, j'ai eu la bonne idée d'en parler à ma mère. Tout ce qu'elle a trouvé à faire, c'est désigner mon assiette et me balancer « mange » ! Après ça, j'ai été dégoûtée par la nourriture et par ma mère. Elle était complètement sourde à ma douleur. J'ai refusé de m'alimenter, je suis devenue anorexique pendant plusieurs mois. J'ai même fait des séjours à l'hôpital, nourrie à la sonde comme une oie que l'on gave… C'est comme si j'avais quitté mon corps à ce moment-là. Depuis, j'essaie d'y revenir, mais ce n'est pas facile. C'est mon âme qui a faim : d'amour, de respect, de reconnaissance, d'une vraie présence, et cette faim-là est tellement plus importante que celle de mon corps que je préfère parfois ne rien manger.

— Alors tu as peur que ce corps te trahisse à son tour ? suggère Béatrice. Que les hommes ne soient attirés que par lui et qu'ils t'oublient, toi ?

Estelle hoche la tête.

— Quelque chose comme ça, oui… Et même si vous me dites que Raphaël est un type bien, au fond de moi je n'arrive pas à vous croire. Je n'arrive pas à croire que je ne vais pas encore une fois être déçue, et même trahie, oubliée du jour au lendemain, pour une simple histoire de cul !

Estelle oscille entre tristesse et colère, étonnée d'avoir pu exprimer tout cela. Conscientes de sa douleur, ses amies la regardent avec une compassion authentique. Au bout d'un long moment, Béatrice intervient de nouveau, d'une voix très douce :

— Lorsque mon mari m'a quittée pour une femme plus jeune, j'ai cru me protéger en essayant de me persuader que ce n'était qu'un fantasme, qu'il sombrait dans le cliché le plus éculé. Cela ne m'a pas empêchée de souffrir à en mourir, sans savoir comment j'allais bien pouvoir m'en sortir. Alors je me suis centrée sur mon fils, j'ai tenu bon pour lui, puis je me suis lancée dans l'aventure de Lutopie, et aujourd'hui, je revis. En plus, je vous connais, maintenant, je suis heureuse avec vous, et cela n'a pas de prix. Alors je me dis que tu peux être fière de toi, Estelle, fière de ne pas vouloir te laisser rabaisser. C'est comme ça que tu finiras par rencontrer un homme qui t'aime vraiment.

Elle se lève pour caresser tendrement la joue d'Estelle, puis lui prend les deux mains, qu'elle serre fort dans les siennes en la regardant dans les yeux.

À son tour, Flora se lève, passe lentement la main dans le dos d'Estelle et lui souffle :

— Donne-toi du temps. Pour une fois, ne te précipite pas pour tout envoyer balader et le regretter après. Prends simplement le temps de vivre ce qui se présente à toi…

— Maman, on voulait savoir ce qui sentait si… maman ? Ça va ?

Attirés par l'odeur du gâteau, Manon et Théo sont entrés discrètement, intimidés par l'intensité de la situation.

— Ça va, ma chérie, dit Estelle.

Manon est soulagée. Les adultes, eux aussi, peuvent avoir leurs petites ou grandes misères.

— Eh, lance Théo en lui donnant un petit coup sur l'épaule et en pointant la table du doigt. C'est ça qui sentait si bon !

Les trois femmes éclatent de rire.

— Béa, dit joyeusement Estelle, tu peux leur donner du gâteau avant que Flora ne mange tout ? Et...

— Oui ?

— Et moi aussi, j'en reprendrais bien une part...

## 15

— Estelle ? Ne me dis pas que tu es encore en train de bosser ?

— Si… je voudrais juste boucler mon tout dernier dossier pour attaquer les vacances la conscience tranquille. J'en ai tellement besoin… Tout le monde est parti ?

— Planète Verte un vendredi après-midi ? Trois jours avant Noël ? Tu veux rire, il n'y a que toi pour faire du zèle !

— Tu m'attends ?

Antoine fait mine d'hésiter et regarde sa montre, au grand dam d'Estelle, qui prend un air suppliant.

— Allez…

— D'accord, mais fais vite, je dois rejoindre Louis pour les dernières courses.

— Promis.

Estelle envoie un baiser à Antoine, qui sort de son bureau aussi discrètement qu'il y est entré et fait le tour des locaux pour s'assurer que toutes les salles sont bien fermées. Une demi-heure plus tard, la jeune femme le rejoint dans le hall en souriant.

— En voilà un beau sourire !

— Enfin les vacances ! Merci de m'avoir attendue, Antoine, c'est adorable… J'espère que je ne t'ai pas trop mis en retard et… ah tiens, à propos de cadeaux, enfin de Noël, plutôt, je voulais te dire… ça t'embête si Raphaël se joint à nous ? Je lui avais dit de venir chez moi, mais comme on se retrouve tous chez vous…

— Pas du tout, au contraire ! Je passerai chercher Manon et Théo le matin pour qu'ils nous aident à décorer le sapin. Louis a tout prévu et on sait à quel point les gosses aiment ça.

— Ce ne serait pas plus simple qu'ils viennent la veille ? Ou même demain, non ?

— Oui, c'est ce que j'avais pensé, mais Théo n'est libre ni samedi ni dimanche, c'est le spectacle de fin d'année de son école de danse.

— Ah, très bien. En fait, au fond, ça m'arrange. Le matin de Noël, j'irai donner un coup de main à Béatrice, à Lutopie. Tu te rends compte ? Il y a tellement de femmes seules pour Noël cette année qu'elles vont devoir ouvrir au déjeuner et au dîner pour pouvoir accueillir tout le monde !

— C'est fabuleux ce que vous faites là-bas, je suis admiratif.

— Oh, c'est surtout Béa et ses amies. Je ne fais que les aider de temps en temps. En tout cas, si tu veux que Raphaël apporte quelque chose, un petit plat maison, n'hésite pas : c'est lui qui l'a proposé.

— Bonne idée. Louis a prévu un menu végétarien pour Flora et sa petite famille… et sans sulfites pour toi. Il est même allé spécialement près de Bordeaux, le week-end dernier, pour se procurer de très bons vins sans soufre. On va se régaler.

— Arrête, j'ai déjà faim…

— Si je me souviens bien, poursuit Antoine comme si de rien n'était, il y aura un pâté végétal aux trois poivrons avec sa salade, un risotto safrané aux pignons, un clafoutis de légumes avec du tofu aux marrons et…

Estelle lui donne une petite tape sur la tête, et Antoine éclate de rire.

— Désolé, c'est trop bon, je ne peux pas m'en empêcher ! Oh et puis tant que j'y suis… En dessert, bûche au chocolat avec sorbets groseille, framboise et cassis. Quelque chose dans ce goût-là… Di-vin !

Estelle éclate de rire à son tour.

— Et tu laisses Louis se charger du festin tout seul ?

— Ça vaut mieux ! Si on est deux en cuisine, on se dispute, c'est imparable.

Elle plisse le front, soudain sérieuse.

— Vous vous disputez ?

— Estelle, dans quel monde tu vis ? Bien sûr qu'on se dispute, comme tous les couples ! Si tu ne virais pas Raphaël à la moindre fausse note, tu finirais forcément par te disputer avec lui et tu verrais que cela n'empêche pas de s'aimer, au contraire. Et puis qui dit dispute dit réconciliation, ajoute Antoine avec un clin d'œil.

Estelle a un petit rire gêné.

— Eh bien oui, je reconnais que je suis tellement perfectionniste que je voudrais enlever les disputes, effacer les conflits, gommer les désaccords et éviter tous ces moments désagréables. Enfin, à part les réconciliations, bien sûr !

— Tu sais quoi ? En fait, tu es une épicurienne qui s'ignore. Tu ne cherches que le plaisir !

— Tu crois ?

— Bon, d'accord, qui s'ignore vraiment beaucoup. Mais au fond qui sait ? Peut-être que j'ai raison.

— À vrai dire, ça m'arrangerait ! En tout cas il y a pire.

— Alors dans ce cas disons que c'est vrai !

— Je suis une épicurienne qui s'ignore, répète Estelle en tournant joyeusement sur elle-même. Je suis une épicurienne qui s'ignore ! Merci Antoine, ça, c'est un beau cadeau de Noël !

— Tu m'en vois ravi ! Tu m'embauches comme coach personnel ?

— C'est une idée... En tout cas, toi, au moins, tu m'épargnes le sempiternel « quand on veut on peut ». J'en ai plein le dos de ce discours simpliste et culpabilisant. Comme si aller bien ou mal était un choix, et qu'il suffisait de le décider pour aller mieux, dit Estelle en claquant des doigts. Bien sûr que je veux aller mieux ! Comme tout le monde, d'ailleurs. Mais ça n'est pas la question. La vie est plus complexe que ça. Sans oublier que nous sommes tous faits de paradoxes.

— Encore heureux ! C'est aussi inutile que dire à quelqu'un « sois spontané », « sois toi-même » ou « détends-toi ». Ça provoque la réaction inverse. On se sent gauche, nerveux, on ne sait plus quoi dire ni quoi faire...

— Exactement ! Eh bien, moi, je sais très bien que je dois lâcher prise... euh... enfin que ce serait mieux pour moi et pour tout le monde. Mais plus j'essaie, moins ça marche. Je ne sais plus comment faire. Je n'y arrive pas.

— Oh là, tout doux, c'est les vacances, Estelle ! Noël approche... Je te propose d'oublier tout ça et de penser à autre chose : à Manon, à Raphaël, à toi... à toi surtout, d'accord ?

— J'aimerais bien, mais..., commence Estelle, qui se reprend devant le froncement de sourcils de son ami. Oui, oui, d'accord !

Le visage d'Antoine s'éclaire.

— Pas de « mais » ! Tu vas être insouciante comme une enfant.

Estelle réfléchit un instant.

— À vrai dire, je ne suis pas sûre d'avoir été si insouciante que ça quand j'étais petite.

— Ah bon ?

Elle hoche la tête, pensive.

— Vraiment ? Tu ne te souviens pas d'un moment d'insouciance, d'un moment où tu étais vraiment heureuse ?

— Si, peut-être...

Estelle garde un instant le silence et détourne la tête pudiquement.

— Pendant les vacances, j'aimais bien être seule avec ma grand-mère, me promener avec elle. Elle me prenait par la main et je me sentais bien.

La jeune femme est soudain envahie par les sensations très agréables de ses promenades avec la vieille femme un peu sauvage qui l'emmenait marcher avec elle le long de la côte sur l'île d'Yeu. Elles s'arrêtaient dans des petites criques. Estelle aimait patauger en tapant ses petits pieds nus dans l'eau fraîche. Elle ramassait des coquillages en se laissant enivrer par l'air vif de l'océan, le bruit des vagues dans les rochers et cette odeur forte d'iode, si forte qu'elle lui faisait parfois tourner la tête. Grisée, sur le chemin du retour, la petite fille contemplait les gros nuages blancs dans le ciel tout bleu de l'été en serrant très fort la main de sa mamie. Elle sentait sa peau douce, aussi douce qu'une caresse, et cette douceur gonflait d'amour son cœur ébahi. Elle aurait voulu que le temps s'arrête et qu'elles soient là, toujours, toutes les deux, ensemble, sur ces chemins, s'émerveillant des papillons colorés et des fleurs sauvages qui égayent les sentiers.

Une vague d'émotion submerge Estelle, soudain secouée par de gros sanglots d'enfant. Antoine s'approche d'elle, la prend dans ses bras et la serre contre lui tandis qu'elle continue à pleurer.

— Moi qui croyais n'avoir aucun souvenir d'enfance…

— Comme quoi, tout revient.

— Tu es comme un frère pour moi, Antoine, lui souffle Estelle en le regardant à travers ses larmes.

— Alors, sœurette, n'oublie pas que je suis là pour toi, quand tu veux. Pour parler, pour sortir, pour rire, pour pleurer, pour râler, pour rêver… et pour garder Manon chaque fois que tu en as besoin.

Estelle réfléchit un instant. *Et si j'osais ? Allez, j'ose !*

— Eh bien, murmure-t-elle, à propos… Raf veut m'emmener faire du ski de fond dans le Vercors pendant les vacances et…

— Quand ?

— Je ne sais pas. Quand tu peux, en fait.

— La semaine prochaine ! Je suis en vacances, Louis aussi. Ta petite Manon sera gâtée comme une princesse, compte sur nous !

— Oh, ça oui, je vous fais confiance…

— Vendu ! Et puis avec Flora, Théo et Pascal à deux pas, on ne devrait pas s'ennuyer. Allez, je file, mon loulou n'aime pas attendre. À lundi !

Antoine embrasse Estelle et la serre encore une fois dans ses bras.

— Allez, file, frérot ! Je me charge de mettre l'alarme et de fermer la boutique. À dimanche.

Je savoure les plaisirs de la vie.

## 16

Les mains posées autour de sa tasse dont émane une vapeur parfumée, Estelle observe les arbres dénudés, qui paraissent aussi seuls qu'elle sous le soleil très pâle. À sa demande, Raphaël et elle sont rentrés chacun de leur côté, et Manon est restée dormir chez Antoine et Louis avec Théo, pour prolonger encore un peu la magie de la soirée. Aux dernières nouvelles, ils s'apprêtaient à accommoder les restes du festin de la veille pour s'offrir un brunch de fête au pied du sapin. *Veinards ! J'aurais peut-être dû rester, moi aussi. Mmm... Et si je rappelais pour leur demander de m'en garder un peu ?* La jeune femme prend une gorgée de thé. *Depuis quand je n'avais pas goûté de tout, comme ça ? Pas très raisonnable mais... Oh, et puis zut, ça suffit !*

Elle se lève et va chercher une petite madeleine dans la cuisine, non sans accorder un regard noir au tapis de course qui semble l'implorer depuis le coin du salon où il a été relégué. *Toi, tu peux toujours courir !* Un petit rire lui échappe. *Eh bien, si je commence à rire de mes propres blagues, c'est que le moral revient.* En trempant le gâteau dans le thé, elle repense à cette journée parfaite : après avoir déposé Manon chez Antoine et Louis, elle a rejoint Béa à Lutopie et participé à la confection d'un repas simple et savoureux pour pas moins de trente personnes, tout cela dans une bonne humeur incroyable. Elle a adoré sentir la chaleur de la solidarité entre toutes ces femmes venues d'horizons si différents. Les deux amies ont même eu le temps de trinquer, puis de faire un brin de vaisselle et de disposer les assiettes pour le service du dîner avant de filer passer la soirée à Vincennes.

Alors ce matin-là, malgré sa solitude et ses questions existentielles, Estelle constate avec plaisir que, peut-être, quelque chose est en train de bouger dans sa vie, jusqu'alors réglée comme du papier à musique. Un tintement léger annonçant l'arrivée d'un texto la tire de ses réflexions. *Tiens, Flora.*
*Hello. Tout va bien ?*

Prise de nouveau d'un léger doute, Estelle préfère rester dans le flou.
*Oui, pas trop mal.*

Le téléphone sonne. Flora.

— Coucou ! Alors, c'est quoi « pas trop mal » ? Un peu de blues ? Pas terrible les lendemains de fête quand on est seule… Tu devrais te joindre à nous.

— À nous ?

— Oui, on a rejoint les enfants chez Antoine et Louis. Tu ne veux pas venir ? De toute façon, tu passeras chercher Manon, ça ne change pas grand-chose, non ?

Estelle hésite.

— Je… non, j'ai… des choses à faire. En fait, je voudrais profiter de l'absence de Manon pour ranger un peu.

117

Elle croit deviner un léger soupir à l'autre bout du fil.

— Comme tu voudras. En tout cas, ta fille est en superforme. Théo et elle se sont levés aux aurores et, depuis, ils s'amusent comme des fous. Il lui apprend des mouvements de danse et, elle, des enchaînements d'aïkido. Ça a l'air de les passionner et de bien les faire rire. Mais toi, alors ? Ça va « pas trop mal » ou « pas trop bien » ? Raconte.

— Oh, rien de spécial… Ça va. Enfin comme d'habitude, tu me connais, dit-elle avec un petit rire sans joie. Ça allait très bien hier soir, et même jusqu'à tout à l'heure, et puis là… Enfin rien de grave, mes vieilles peurs qui reviennent, tu sais ! J'ai beau essayer de les chasser, elles ont tendance à s'imposer.

— Oh…

— Ne t'en fais pas, j'ai l'habitude.

Au bout du fil, Flora semble hésiter un instant.

— Rassure-moi, ça n'a pas de rapport avec ton escapade avec Raf ?

— Eh bien…

— Estelle !

— Je sais… je suis contente, ça va me changer les idées et en même temps, j'ai peur.

— Mais peur de quoi ?

— De mal faire.

— Tu ne sais pas bien skier ?

Surprise par la réponse spontanée de Flora, Estelle ne peut s'empêcher de rire.

— Non, je ne skie pas très bien, c'est un fait ! Mais ça m'est bien égal. Déjà le grand air, la montagne, la neige, le dépaysement, ce sera super. Non, j'ai peur de ne pas bien me comporter avec Raphaël.

— Tu crains de l'envoyer bouler à la première contrariété ?

— Oui, un peu... mais plus trop, en fait. Antoine, Béa et toi, vous vous êtes donné le mot pour me faire comprendre que je devais être plus cool avec lui, et que les désaccords ou les conflits ne sont pas la fin du monde. J'ai bien compris vos encouragements à plus de souplesse, mais je me dis qu'il attend certainement plus que ce que je peux lui donner pour l'instant.

— Qu'est-ce qui te fait croire ça ? Il te l'a dit, lui ?

— Non, mais c'est moi qui ai insisté pour lui dire que je venais seulement en *amie*, dit Estelle en appuyant sur ce dernier mot.

— Ah, d'accord..., répond Flora sans conviction, chaque fois étonnée par les réticences d'Estelle face à ce qui lui semble, à elle, si simple. Bon, tu prends ton temps. Où est le problème ?

— J'ai peur de le décevoir.

— Oh ? Alors là, ma belle, je suis contente. Tu as bien changé !

— Comment ça ?

— Je veux juste dire que tu commences à te laisser aller, et c'est super. Tu admets enfin que tu tiens à cet homme, qu'il est important pour toi. C'est formidable, non ?

— Euh... vu comme ça, oui, c'est vrai, c'est un sacré progrès, reconnaît Estelle en riant de nouveau.

Flora marque une pause et reprend d'une voix douce :

— Tu sais, la dernière fois, avec Béatrice... Je crois avoir compris quelque chose.

— Ah ? Et quoi ?

— Peut-être que tu penses que tu n'as pas le droit d'être heureuse... Enfin, c'est ce que je me suis dit.

— Non ! Non, je ne vais pas pleurer, non, non !

— Qu'est-ce qui te prend ?

— Rien ! Encore un de mes trucs... Je n'avais plus pleuré depuis le départ du père de Manon et, là, ces derniers temps, je n'arrête pas. Zut alors...

— Ça aussi, c'est bon signe... vraiment. Mais qu'est-ce que tu en penses, toi, de ce que je viens de dire ? Que tu ne t'autorises pas à être heureuse. Je me trompe ?

Estelle soupire, reste un instant silencieuse, puis soupire de nouveau et répond en bafouillant légèrement :

— Tu... tu as probablement vu juste, Flora, mais j'ai du mal à l'admettre. Disons que ça me surprend, alors que ça devrait me sembler évident. Je sais, je suis compliquée ! En même temps...

Estelle marque une nouvelle pause. Flora respecte son silence et ne la relance pas.

— Je viens de comprendre un truc, là, en t'écoutant. Tu sais, ma mère n'était pas heureuse avec mon père. En fait, elle n'était pas heureuse tout court. Du coup, je me demande... Tu penses que je pourrais m'interdire d'être heureuse pour respecter son malheur, en quelque sorte ?

— Eh bien... je dirais que oui, c'est fort possible.

— Alors il est temps que je m'en rende compte, sinon je risque d'être malheureuse comme elle toute ma vie...

— Ah, non, hein, surtout pas !

— En plus, je ne comprends pas pourquoi d'un côté j'ai tellement envie d'être avec Raf, et d'un autre côté j'ai si peur d'être enfermée dans une relation. Ça me rend froide et méfiante, toujours sur la défensive, je mets de la distance sans arrêt…

— Pauvre Raphaël, il a du mérite ! Plaisanterie mise à part, une chose est claire : il tient à toi. Alors profite bien de tes vacances avec lui. Et puis je ne crois pas qu'il soit du genre à t'enfermer ni à s'enfermer lui-même dans quoi que ce soit, non ?

— Probablement. Tu as sans doute raison… Ah, j'entends les enfants derrière toi.

— Oui, ils viennent de dévaler l'escalier pour aller jouer dans le jardin… sans bonnet ni gants, bien sûr. Ils ont une de ces énergies !

— Je ne vais pas te retenir plus longtemps. Merci, Flora…

— Alors promis, tu vas arrêter de déprimer ? En tout cas pour aujourd'hui.

— Juré ! Oh, tu sais quoi ? Béa m'a offert un enregistrement de relaxation pour Noël. Elle l'a fait elle-même spécialement pour moi, ça me touche beaucoup. Je vais l'écouter tranquillement.

— Fabuleux ! Bonne détente alors… Et… tu es sûre que tu ne veux pas venir déjeuner ? Après ta relaxation. Il n'est que onze heures, on ne déjeunera pas avant midi et demi, une heure…

Estelle réfléchit quelques instants.

— Non, je…

— Pour le dessert ? Il reste de la bûche.

— Bon… dans ces conditions…

— Formidable ! À tout à l'heure. Je t'embrasse.

Estelle raccroche et expire lentement. *Une petite fille butée... Voilà ce que je suis. Une petite fille butée qui se complaît dans le malheur, refuse d'être heureuse pour ne pas faire d'ombre à sa mère, par loyauté envers elle. Merci du cadeau, maman !* Bien vite, l'aigreur et la révolte font place à une sensation plus douce, un nouveau regard sur elle-même qu'elle met de longues secondes à identifier. *De la compassion ? Tiens, ça alors ! Ce serait bien la première fois que je ressens une telle clémence pour moi-même.*

La jeune femme s'allonge sur son lit, écouteurs sur les oreilles. Elle ferme les yeux et laisse la voix rassurante de Béatrice l'entraîner doucement, progressivement, dans une délicieuse détente, entre veille et sommeil, comme dans un rêve très doux où sa grand-mère lui tiendrait de nouveau la main. Tout semble si simple, alors, si simple…

Je laisse la joie
venir à moi.

## 17

Lorsque Estelle ouvre les volets de sa chambre, une immense étendue enneigée étincelante, aux reflets bleutés, se dévoile devant elle à perte de vue. Au loin, sur sa droite, elle discerne quelques sapins regroupés en bosquets, clairsemés, accrochés à flanc de montagne. L'air vif et glacé la saisit, et ses paupières se baissent un instant par réflexe, pour protéger ses yeux de la réverbération aveuglante.

La veille, contrairement à son habitude, elle est montée dans le train sans un livre ou un magazine censé l'aider à tromper l'ennui durant le trajet. Son ordinateur portable est resté à Planète Verte, et sa tablette, à la maison, dans le tiroir de son bureau. Elle a tout de même pris son téléphone, mais s'est promis de ne l'utiliser qu'en cas d'urgence, et pour communiquer avec Manon ou Raphaël. Pour la première fois, elle n'a pas cherché à « rentabiliser » ces longues heures de voyage, mais les a envisagées comme un moment pour elle, sans autre but que de contempler le paysage et de dormir.

Arrivée au gîte à la tombée de la nuit après une dernière heure de car sur des routes sinueuses, elle a pris le temps d'admirer la grande bâtisse en pierre et en bois se découpant sur un ciel indigo déjà piqué d'étoiles. Pressentant que quelque chose d'important se jouait là, dans le silence cotonneux du Vercors, avec pour seul bruit le crissement de la neige sous ses pas, elle s'est sentie bien.

Ce premier matin, devant la fenêtre, elle regarde l'heure et hausse les sourcils. *Presque onze heures ! Depuis quand je fais des grasses matinées, moi ?* Elle songe à la soirée, qui ne s'est pourtant pas prolongée tard. À Raphaël, si prévenant, si respectueux de son rythme, de son désir de passer ces quelques jours avec lui en amis. Ensemble, mais chacun de son côté. Si cela lui a pesé, il a pris garde de n'en rien laisser transparaître et s'est montré affable, charmant, drôle. Skieur chevronné, il l'a décomplexée en l'abreuvant d'anecdotes sur ses plus beaux gadins dans ces paysages enchanteurs et, au terme d'un délicieux (et copieux) dîner, l'a raccompagnée jusqu'au seuil de sa chambre, située dans une autre aile de la maison. Estelle s'est aussitôt endormie en rêvant d'immensités immaculées, bercée par les courbes douces de ce paysage enveloppant et le silence de la neige à l'infini.

Elle consulte la feuille plastifiée, un peu jaunie, punaisée à la porte de sa chambre. *Bon, j'ai raté le petit déjeuner.* Elle hausse les épaules et, baissant les yeux, aperçoit un papier plié glissé sous sa porte. L'écriture ronde, à la fois ferme et un peu enfantine de Raphaël :

*« Impossible de résister à cette splendide poudreuse...*
*Appelle-moi quand tu en auras envie, je ne serai pas loin.*
*Et surtout repose-toi.*
*Raf*
*P.-S. : il y a du feu dans la cheminée du salon dès le*
*matin.* ☺ »

Estelle sourit. *Dans ce cas...* Elle bâille et s'étire
comme Dario le lui a appris, et se sent l'esprit plus
clair, à la fois emplie d'énergie et plus épuisée que
jamais. Rassurée par le petit mot de Raphaël, sa présence invisible, distante et prévenante, enveloppée par
le paysage de neige et la chaleur de ce chalet-cocon,
loin du boulot et de Manon, elle n'éprouve ni peur ni
tristesse de se trouver seule. Au contraire, c'est comme
une liberté nouvelle, la possibilité de laisser son corps
et son esprit glisser vers un repos dont elle pressent
toute l'importance.

La première journée s'étire ainsi, lentement, entre
rêves éveillés sur la courtepointe de son grand lit et
moments de contemplation face au feu. Dans l'après-
midi, elle sort se promener et revient ragaillardie
par le froid intense qui pique son visage. Elle prend
une longue douche brûlante, parfumée d'un des
mélanges d'huiles essentielles que Flora lui a offerts
pour Noël. Lorsqu'elle sort de la salle de bains, la
chambre est plongée dans le noir ; seuls filtrent
la lueur orangée d'un réverbère, devant l'hôtel, et le
rai de lumière sous la porte, encadrant un autre petit
carré de papier soigneusement plié. Estelle allume
la lampe de bureau que la faible ampoule, sous la

tulipe en verre dépoli, éclaire juste assez pour lui permettre de lire :

*« J'ai skié toute la journée, hâte de retrouver mon lit. Si tu veux dîner tôt, dis-moi, on peut se retrouver en bas. Sinon, demande le "menu Estelle", ils peuvent même te le servir dans ta chambre. Raf*
*P.-S. : tu sais que l'hôtel a un spa ? Tu peux réserver ton massage à la réception. »*

Elle sourit et fronce les sourcils. *Ça ressemble à une chasse au trésor ! Allez, j'ai compris le message, je descends.* Au bar, elle commande un chocolat chaud en écoutant la rumeur des conversations des familles qui s'apprêtent à aller dîner. Surf, ski de fond, promenades à cheval ou en traîneau, randonnée... *On dirait que je suis la seule à m'être reposée !* Tandis que tout le monde se dirige vers la salle à manger, elle s'arrête à la réception.

— Bonsoir...

— Bonsoir, je peux vous aider ?

— Je souhaiterais commander le...

Elle hésite un instant, se sentant un peu ridicule, et reprend, encouragée par le sourire de la jeune femme derrière le bureau.

— Oui ?

— Je suis désolée, c'est un peu étrange mais je voudrais commander le « menu Estelle »... Enfin... Estelle, c'est moi, je...

La jeune femme sourit de plus belle et consulte sa fiche.

— Bien sûr ! Sans gluten et sans sulfites ?

Estelle hoche la tête.

— Ça a l'air délicieux ! On peut dire que vous êtes gâtée. Vous souhaitez dîner dans votre chambre ou dans la salle à manger ?

— Dans ma chambre, mais, comment… ?

La réceptionniste a un petit rire.

— Oh, c'est très simple ! On donne des cours de cuisine, ici, et votre ami… (elle consulte la fiche et relève la tête en souriant) Raphaël avait pris soin de réserver le sien depuis longtemps.

Estelle remercie la jeune femme et jette un œil au salon en regagnant sa chambre. Au fond, près de la cheminée, Raphaël est là, plongé dans un livre. Elle se dirige vers lui, hésite un instant et baisse la tête, un peu honteuse et soudain terriblement fatiguée. *Non ! Je ne vais pas culpabiliser. Raf n'a pas fait ça pour que je lui saute au cou, il comprendra…* Les jambes aussi lourdes que du plomb, elle emprunte l'escalier et pousse avec soulagement la porte de sa chambre. Quelques minutes plus tard, elle accueille avec reconnaissance le dîner léger et savoureux que Raphaël a préparé à son intention, et lui envoie un simple « merci » par texto avant de sombrer dans un sommeil profond.

Lorsqu'elle émerge de cette longue nuit, Estelle se sent cotonneuse, comme si elle évoluait au ralenti, dépourvue de la moindre énergie. Indifférente au monde qui l'entoure. La vie semble glisser autour d'elle sans l'atteindre, et c'est à peine si elle trouve la force d'envoyer un message à Antoine pour prendre des nouvelles de sa fille. Le seul fait de prendre sa douche et de s'habiller lui demande une volonté qui lui paraît surhumaine. Elle frissonne et porte la main à son front. *Pas de fièvre, pourtant j'ai froid et mal partout, comme si mon corps...* Son regard s'arrête sur le petit mot que Raphaël lui a laissé la veille, et une idée la traverse comme une fulgurance. *Un massage !* Elle décroche le combiné et réserve pour la fin d'après-midi. Allongée sur le lit, elle émet un très, très long soupir, et le stress accumulé en elle, les craintes et les tensions semblent s'envoler comme de la buée, perdant de leur force dans leur ascension, pour disparaître avant d'atteindre le plafond.

Dans le salon, devant le feu qui crépite, elle laisse son esprit vagabonder. Les changements qu'elle a connus ces derniers mois dansent sous ses yeux, au rythme des flammes, et comme elles, lui transmettent chaleur et réconfort, une légère inquiétude, aussi. *Tout cela, en si peu de temps...* Estelle se sent comme une fillette qui grandit, confrontée aux bouleversements inéluctables que lui réserve la vie ; comme si cette évolution, dont elle perçoit l'ampleur et la richesse, lui échappait. *Si j'étais une ourse, je me pelotonnerais au fond de ma caverne pour hiberner !* Elle sourit à cette idée. *Voilà ce qu'il me faut, changer, mais pendant mon sommeil ! Comme ça je fais d'une pierre deux coups : je me repose, j'oublie les responsabilités, et je mets de côté la tristesse de ma mère pour laisser s'épanouir la petite fille en moi.*

Soulagée d'un poids, Estelle se présente au spa, heureuse de s'offrir ce moment privilégié, en dépit de l'appréhension de se dévêtir et de se laisser toucher par une inconnue. Elle se raidit d'abord au contact des mains de la masseuse et, bien vite, le rythme des effleurements la plonge dans un étrange sommeil, un rêve où elle se sent glisser sur une rivière calme pour, peu à peu, devenir elle-même cette rivière. Un ruisseau libre, sautillant, sans souci. Une eau vive qui s'écoule, fluide, douce, fraîche, transparente… Comme c'est bon de se laisser aller à cette légèreté, à cette liberté. Après le massage, elle regagne sa chambre, ôte ses vêtements et s'endort presque aussitôt, sans dîner.

Elle s'éveille aux aurores, le sourire aux lèvres. Surprise et heureuse de se découvrir plus tonique, elle file sous la douche et descend faire honneur au splendide buffet du petit déjeuner, qui lui fait presque regretter ses deux grasses matinées, avant de se joindre au groupe des « débutants » pour une magnifique randonnée à skis de fond. Lorsqu'elle regagne sa chambre, un petit mot l'attend.

*« Veux-tu que l'on dîne ensemble ? »*

Elle sourit en lisant les lettres rondes, détache une page sur le bloc-notes qui porte le logo du gîte et griffonne quelque chose à son tour. Rassurée par la patience de Raphaël, touchée par ses attentions et son respect, Estelle arrive à surmonter sa peur d'être envahie. À pas feutrés, elle traverse le bâtiment qui bruisse d'une agréable animation et s'arrête devant une porte en bois semblable à la sienne. Elle hésite encore un instant, relit son papier et le plie en deux, avant de le glisser sous la porte.

Une douce chaleur monte de son ventre vers son cœur, tandis qu'elle regagne sa chambre. Elle se dirige vers la salle de bains et se prépare à rejoindre Raphaël pour dîner.

Je cultive
la confiance.

## 18

Lorsque le réveil sonne, peu avant neuf heures, Estelle a l'impression que c'est encore le milieu de la nuit. Elle ouvre les yeux sur la pièce baignée de lumière et se redresse avec difficulté. *Voilà ce que c'est d'avoir laissé tomber mon tapis de course ! Une journée de sport, et j'ai l'impression d'avoir quatre-vingts ans...* Après une douche bien chaude pour soulager ses courbatures, elle enfile un pull et un jean et prend quelques minutes pour contempler, déjà nostalgique, le paysage de neige qui s'étend sous ses fenêtres. Elle respire un grand coup, jette un coup d'œil circulaire pour vérifier qu'elle n'a rien oublié dans cette chambre où elle aurait bien passé quelques jours de plus et attrape sa valise.

En bas, Raphaël l'attend pour un dernier petit déjeuner. *Un premier plutôt !* Ils discutent de tout et de rien, de leurs muscles endoloris, de la soirée de la veille, à parler voyage et chant, arts martiaux et méthode Vittoz, avec un couple dont les deux jeunes enfants se sont montrés enthousiastes lorsque Estelle a évoqué « l'école à la maison » de Béatrice. Ils ont même échangé leurs adresses mél et la promesse de rester en contact. Le sourire aux lèvres, Estelle ne cesse de vanter la beauté de l'endroit et l'ambiance si chaleureuse du gîte.

— Merci encore, Raf.

— Je savais que ça te plairait ! Malheureusement… (Il boit une gorgée de thé et regarde sa montre.) Il va être temps d'y aller. En tout cas, je suis content que tu aies accepté de faire le voyage de retour avec moi, je me sentirai moins seul qu'à l'aller !

Estelle acquiesce avec un sourire et Raphaël prend sa valise pour la mettre dans le coffre, avec la sienne.

La première partie du voyage se déroule en silence, Raphaël, centré sur sa conduite, et Estelle, perdue dans ses pensées, regardant défiler le paysage. À l'approche de Mâcon, elle se tourne vers lui :

— Tu veux que je te relaie ?

— Volontiers.

Après un déjeuner rapide, Estelle s'installe au volant. Elle a toujours aimé conduire et, dans cette circulation fluide, le ronronnement du moteur a tôt fait de l'apaiser.

Raphaël l'observe, ses gestes assurés, son regard décidé lorsqu'elle double un camion puis se rabat en souplesse.

— C'étaient quoi tes rêves de gosse ? demande-t-il de but en blanc.

Estelle se tourne une seconde vers lui, prise au dépourvu, et ses yeux reviennent à la route.

— Comme ça, là, je ne m'en souviens plus. En fait, j'ai très peu de souvenirs de mon enfance. Pourquoi tu me poses cette question ?

— Mes parents sont morts dans un accident de voiture. Tous les deux. Quelques mois après la fin de mes études d'architecture. Ma mère et mon père étaient particulièrement doués pour le bonheur. Ils nous ont laissés très libres, ma sœur et moi. À part quelques éclats à l'adolescence, l'ambiance était franchement joyeuse à la maison. On était soudés, on s'entendait bien...

Surprise, Estelle reste silencieuse pour écouter les confidences de Raphaël, lui qui se livre habituellement si peu.

— J'ai mis très longtemps à me remettre de leur mort. Je suis devenu silencieux, alors qu'avant j'étais du genre expansif. J'ai laissé tomber l'architecture. Je suis parti travailler dans des fermes des Cévennes, contre le gîte et le couvert, pendant plusieurs mois. Là-bas, j'ai rencontré un acupuncteur. Sa femme et lui m'ont accueilli chez eux comme un fils. Avec ses aiguilles et quelques paroles, il m'a aidé à me remettre d'aplomb. Un jour, il m'a posé cette question : c'étaient quoi tes rêves de gosse ?

Estelle a l'impression de vivre l'histoire au fur et à mesure que Raphaël la raconte.

— En moi, une petite voix soufflait : la nature, les arbres, les rivières, la forêt... Rien que d'y penser, j'en ai encore le cœur qui bat ! Moi qui étais un citadin pur jus, l'ex-étudiant en archi qui ne jurait que par le béton et le verre, je me suis éveillé à l'odeur de la terre, à la beauté des ciels du lever jusqu'au couchant, au chant des oiseaux, au parfum des feuilles et des fleurs. L'été suivant, quand j'ai quitté ce couple d'amis, je suis parti vivre complètement nu, un peu plus haut, dans une grotte de la montagne sauvage, auprès d'une source, dans un lieu que j'avais choisi. Tu imagines ? Un ex-futur architecte dans une grotte ! (Il rit, puis redevient sérieux.) Je me nourrissais de presque rien et j'étais bien, tellement bien. J'ai compris que l'architecture n'était décidément pas pour moi, que ce que je voulais, c'était travailler dans les bois, en contact avec les arbres, immergé dans la nature. J'ai découvert des ressources au-delà de ma volonté, des ressources profondes, sauvages, physiques. J'étais bien dans mon corps. J'ai senti grandir en moi un amour fabuleux pour la nature, un respect de mon être, des autres, de l'âme de chacun, de sa parole. J'ai senti une immense paix m'envahir. J'avais l'impression d'être un Indien en harmonie avec le cosmos. J'avais retrouvé mes rêves d'enfant... C'est comme ça que je suis devenu guide forestier. Tu dois me prendre pour un dingue...

Comme Estelle ne répond pas mais que son visage est calme, attentif, il laisse le silence se prolonger une minute puis ajoute :

— J'aimerais t'emmener marcher dans le désert.

Estelle ne dit rien.

— Tu viendrais ? Tu serais d'accord ?

Les mains d'Estelle se crispent imperceptiblement sur le volant, mais les conseils de Flora et d'Antoine lui reviennent à l'esprit et l'empêchent de céder à son premier réflexe : envoyer paître cet homme qui soudain lui paraît incroyablement envahissant. À l'instant où elle pense cela, elle se sent elle-même très injuste à son égard. Elle souffle et visualise le signe de l'infini, qui l'apaise aussitôt.

— Laisse-moi le temps d'y réfléchir d'abord...

Le silence s'installe de nouveau entre eux. Estelle pense à l'histoire que lui a racontée Raphaël. Elle le regarde à la dérobée, assis là, à côté d'elle, dans cette voiture. Ce garçon intensément désirable, mais qu'elle n'arrive pas à aimer. Comment s'ouvrir à lui ? Comment accepter son désir, se laisser aller à être aimée ? Là, tout de suite, elle aurait plutôt envie de fuir, de ne plus le voir, de ne plus jamais entendre parler de lui.

La nuit est tombée. Avant l'arrivée en région parisienne, Raphaël reprend le volant et allume la radio.

— Je te laisse choisir…

Estelle fait défiler les stations, tandis que les lumières de Paris scintillent déjà à l'horizon. Un air de *Cleopatra* de Haendel s'élève des enceintes et lui fait aussitôt penser à Dario, au plaisir du chant. Les larmes lui montent aux yeux sans qu'elle comprenne exactement ce qui la bouleverse à ce point, et une forme de soulagement profond l'envahit. Elle se tourne vers Raphaël :

— Merci encore…

Le jeune homme sourit sans répondre, visiblement touché.

— Ces trois jours… Ça m'a fait un bien fou.

— Le Vercors fait souvent cet effet-là !

Estelle rit doucement.

— Alors on y retournera… Dis… Tu pourras me déposer chez Antoine et Louis ? Il faut que je récupère Manon.

— Évidemment. Je vais même vous raccompagner à Montreuil.

— Ça ne t'embête pas ?

— Pas du tout, au contraire !

— Merci…

Lorsqu'ils arrivent à Vincennes, Manon est en grande conversation avec Antoine sur les mérites respectifs du yoga et de l'aïkido, mouvements à l'appui. Elle s'interrompt pour aller embrasser sa mère.

— Salut maman, c'était bien ? Avec Théo, on… Raf ! Je suis trop contente de te voir, s'écrie-t-elle en apercevant Raphaël.

— Eh bien quel accueil ! Salut Manon. Dis-moi, tu as l'air d'être devenue une vraie pro en aïkido…

Estelle toussote.

— On va y aller, non ? Raf, tu as sûrement des choses à faire…

— Comment ça, « y aller » ? l'interrompt Louis. Vous avez passé trois jours ensemble, mais nous, ça fait trois jours qu'on ne vous a pas vus ! Alors vous restez dîner.

— Mais…

— Pas de mais !

La jeune femme se raidit un instant avant d'abdiquer devant le regard suppliant de sa fille.

— Eh bien, Raphaël, si tu es d'accord…

— Et comment ! Louis, je peux t'aider à quelque chose ?

Tandis que ce dernier entraîne Raphaël en cuisine, Estelle songe à ce qui semble une évidence pour tout le monde, sauf pour elle : sa relation avec Raphaël. Elle aimerait crier qu'ils se trompent, qu'ils s'imaginent plein de choses qui n'existent pas pour elle, qu'elle en est encore au point zéro de l'amour, mais elle se retient, encore une fois. *J'imagine qu'on peut dire que*

*c'est un progrès : au moins maintenant, je résiste à la*
*tentation de tout faire foirer !* Une légère suée recouvre
son front, qu'elle n'a pas le loisir d'essuyer, car déjà
Manon lui prend la main pour l'emmener dans le salon,
où trône encore le sapin qu'elle a décoré avec Théo.

Quels étaient
mes rêves d'enfant ?

## 19

— Estelle ! C'est sympa de venir me faire un coucou. Alors ? C'était comment ?

Agréablement surprise par cette visite impromptue, Béatrice serre la jeune femme dans ses bras, qui se laisse aller à l'étreinte sans réticence.

— Formidable ! Enfin... à vrai dire, commence Estelle avec un rire léger, je n'ai rien fait ! Enfin rien, à part me reposer. Dormir, lire, dormir encore, me promener un peu, skier un tout petit peu... et puis m'allonger, regarder par la fenêtre, rêvasser... Ah oui, je me suis même fait masser ! J'ai adoré. Non mais, *moi*, traînasser et me faire *masser* ? Tu imagines ?

Béatrice éclate de rire.

— Quel tableau ! Décidément, tu n'es plus la même. Ton tapis de course a du souci à se faire !

— C'est exactement ce que m'a dit un client au boulot. Enfin, pas à propos du tapis... Bref, il était épaté que j'aie pu changer à ce point. Tu aurais vu sa tête quand je lui ai dit que je faisais du chant, que j'adorais ça et que j'étais en train de devenir une diva...

Estelle rit à son tour, imitée par Béatrice :

— Qu'à cela ne tienne ! Si ça peut regonfler ta confiance en toi, alors va pour la diva, fais-toi plaisir !

Estelle redevient soudain plus sérieuse.

— Ce n'est pas pour ça que je viens te voir.

— Ah ?

Estelle hoche lentement la tête et choisit soigneusement ses mots.

— Eh bien... Dans la voiture, Raphaël m'a posé une question qui me turlupine.

— Ah oui ? Laquelle ?

— Il voulait connaître mes rêves de petite fille, mes rêves d'enfant, et je n'ai pas pu lui répondre. Je ne me souvenais pas.

Béatrice hausse les sourcils.

— Tu n'as même pas un début de quelque chose ?

— En fait, si. Ça m'est revenu hier. Je crois que je voulais fabriquer des vêtements.

— Tu voulais être couturière ?

— Non, pas vraiment... Pas styliste non plus. À vrai dire, je ne savais même pas que ça existait ! Non, en fait, je voulais plutôt m'occuper d'une usine qui fabrique des vêtements. Je m'imaginais aller chercher de la laine, du lin, de la soie, puis choisir les couleurs, les nuances, sélectionner les modèles et lancer la fabrication... Quand les usines textiles ont fermé en France, j'ai été vraiment très triste. Je crois même que je me suis sentie découragée, comme si mon rêve devenait impossible. Un moment, j'ai cru que je pourrais rouvrir une fabrique de vêtements, du *made in France*, tu vois, précise-t-elle en souriant. Pas parce que j'étais chauvine, plutôt parce que je voulais sauver tout ce savoir-faire si ancien, et que je trouvais tellement injustes toutes ces pertes d'emploi. J'ai dû me rendre compte que, toute seule, je n'y arriverais pas, et j'ai laissé tomber mon rêve. Je l'ai même complètement oublié.

— Et la comptabilité, alors ? Ce n'était pas ton projet ?

— Oh non, pas du tout ! J'ai fait ces études-là pour rassurer ma mère. Elle avait une peur bleue du chômage et elle voulait que je travaille dans une administration. Elle aussi avait été licenciée. Elle travaillait dans une imprimerie d'art qui a dû fermer à cause de la concurrence asiatique. Je trouvais ça révoltant. Ça l'a terriblement déprimée…

— Oui, bien sûr, c'est terrible… Quel gâchis !

Estelle hoche la tête et regarde de nouveau Béatrice, qui remarque que ses yeux brillent d'un éclat nouveau.

— Et à propos de ça… Ce client dont je te parlais, celui qui m'a fait des compliments. Eh bien aujourd'hui, il m'a parlé d'un projet qui ressemble beaucoup à mon rêve d'enfant. Je ne sais pas si c'est une coïncidence ou…

— Une coïncidence ou une rencontre ? Ou même une intuition ?

Estelle approuve et reprend.

— Il y a quelques années, il a créé une entreprise de fabrication de vêtements à partir de fibres recyclées ou de coton biologique. Ils ont des magasins dans le nord de la France et en Belgique… Ils ont commencé leur aventure avec Planète Verte et j'ai adoré m'occuper d'eux dès le début, comme si je participais un peu à leur aventure. J'étais enthousiaste. La marque s'appelle La Douce Fabrique. Elle se développe de plus en plus.

Leur philosophie correspond vraiment à ce en quoi je crois, au type d'économie solidaire et écologique que je veux soutenir. Pour Manon, surtout, pour que les enfants puissent grandir sur une planète hospitalière, en préservant la nature. Non seulement c'est vital, mais ça devient urgent...

— Oui, il est temps d'en prendre conscience, tu as raison. Tu as vu tous ces scientifiques qui ont signé une déclaration commune pour que tout le monde se mobilise avant qu'il ne soit trop tard ?

— Oui, j'espère que ça va enfin porter ses fruits. J'espère surtout qu'il n'est pas déjà trop tard.

— À nous de bosser pour sauver le monde. Alors, ce projet ? Raconte !

— Figure-toi que La Douce Fabrique veut ouvrir un magasin en région parisienne. Une boutique un peu spéciale, où les clients pourraient venir commander des vêtements en choisissant les formes et les couleurs selon leurs goûts, mais aussi en proposant des idées pour les nouvelles collections. Ils pourraient aussi échanger leurs vêtements, les louer et les rendre lorsqu'ils sont usés pour les faire recycler. En fait, mon client cherche quelqu'un pour animer cette boutique-atelier et il a pensé à moi. Je dois dire que ça me motive beaucoup, mais je ne suis pas sûre d'être à la hauteur.

— Tiens, tiens, ce manque d'assurance, ça me rappelle quelqu'un... Ce ne serait pas l'ancienne Estelle qui toque à la porte ? On dirait bien qu'elle n'a pas complètement disparu et qu'elle revient mine de rien...

Devant la moue d'Estelle, Béatrice sourit et lui prend la main.

— Oh là, Miss Boudouille, pas de panique ! La méthode Vittoz est pleine de ressources insoupçonnées. Je vais te montrer comment tu peux accueillir les malaises, les contrariétés ou les émotions encombrantes. Tu veux bien ?

Estelle fait oui de la tête, légèrement dubitative.

— Tu vas voir, c'est très simple. Par exemple, à propos de ce projet, de ce que ton client t'a annoncé ce matin, quelle est l'émotion qui t'a le plus gênée ?

— J'étais contente, surprise, excitée et, en même temps, j'avais peur. Oui, j'avais surtout peur.

— Alors ferme les yeux. Voilà. Maintenant, remets-toi concrètement dans la situation de ce matin, puis essaie de te souvenir précisément du moment où la peur était la plus forte. Prends ton temps. Tu me dis quand tu l'as retrouvé…

Estelle reste silencieuse. Puis au bout de quelques minutes, elle ouvre les yeux.

— Ça y est, je l'ai.

— Referme les yeux… Observe ce qui se passe dans ton corps, uniquement dans ton corps. Qu'est-ce que tu ressens ?

Estelle soupire. Béa insiste avec douceur.

— Quelles sont tes sensations ?

— Euh… ben… je sens mon estomac noué, dur, et comme une douleur vers le sternum, avec un poids sur les épaules.

— Continue à constater simplement ce que tu ressens. Tu me dis si ça évolue.

— Ma gorge se serre et ma nuque se tend. J'ai mal à la tête, aussi.

— Reste en contact avec tes sensations et laisse tout ça évoluer naturellement. Tu me préviens si les sensations changent.

— Oui, je ne ressens presque plus rien dans le ventre. J'ai une douleur très vive entre les omoplates.

— D'accord. Continue à observer ce qui se passe en toi… Quand tu ne sentiras plus rien de particulier, tu me le diras.

Après un certain temps, Estelle constate que les sensations liées à la peur sont parties d'elles-mêmes. Béatrice hoche la tête et reprend :

— Peux-tu repenser à la même situation ?

— Oui.

— Que ressens-tu maintenant ?

— Bof. Rien, presque rien… Un petit quelque chose au creux de l'estomac, très léger, mais plus rien, non rien d'autre, répond Estelle surprise. C'est magique !

— Tu peux rouvrir les yeux. Cette expérience très simple prouve que nous n'avons rien à faire pour laisser passer nos émotions. Le corps est d'une grande sagesse. Si nous laissons faire le cerveau sans intervenir, il traite les informations en quelques minutes et peut naturellement trouver les meilleures réponses à chacune de nos émotions, dans chaque situation. Tu peux renouveler l'expérience par toi-même, quand tu veux. Tu feras le même constat.

— Alors, c'est vraiment comme en chant ! Dario parle aussi de la sagesse du corps. À chaque cours, il me demande de laisser faire le corps, de retrouver l'instinct, de faire confiance à l'intelligence profonde qui est en moi.

— Oui, c'est exactement ça. Formidable, hein ?

En guise de réponse, Estelle se lève et serre Béa dans ses bras, avant de partir, légère, préparer le dîner pour Manon.

Je laisse agir
la sagesse du corps.

## 20

Comme chaque fois qu'elle a cours avec Dario, Estelle quitte Planète Verte d'un pas léger et rapide, soucieuse d'être ponctuelle pour profiter de chaque minute de cette heure qui lui semble si courte. Son professeur l'accueille avec chaleur et, tout en la débarrassant de ses affaires, se lance dans un exposé passionné sur le rayonnement de la voix. Il désigne une affiche, au mur.

— Tu vois la lumière, comme elle sculpte le plissé safrané de la robe d'Andromède ? Et Persée qui arrive pour la délivrer, ce jaune d'or qui se détache sur le ciel bleu, comme un rayon de soleil ? Eh bien, le rayonnement de la voix, c'est la même chose que la palette du *Veronese*, dit-il avec un accent italien soudain plus marqué.

Il évoque aussi Watteau, le *Pèlerinage pour l'île de Cythère* et les fêtes galantes, la passion amoureuse omniprésente dans les opéras, *L'Île joyeuse* de Debussy et les mélodies de Fauré sur le thème du carnaval.

— Le chanteur est comme le peintre : il aime les couleurs, il joue avec elles. Pour chanter, laisse-toi enchanter ! lance-t-il en souriant. Ce n'est pas qu'un jeu de mots, c'est la réalité. Allez, essaie…

Portée par l'euphorie de Dario et par sa voix qui l'accompagne ou l'encourage de temps à autre, Estelle prend de l'assurance.

— Oui, très bien, fais-toi confiance, laisse vibrer les sons. Libère-toi !

— Tout le contraire du contrôle…, dit la jeune femme après une série de vocalises.

— Ah, *Madonna*, bien sûr, surtout pas de contrôle ! Lâche, libère, laisse vivre ta voix… Cela va même encore plus loin : ne cherche pas de résultat, au contraire. La voix est un cadeau. Elle est belle parce que tu la laisses se déployer librement. Sans forcer, sans pousser, sans grossir et sans rien contrôler ; oui, simplement en la laissant être.

— La sagesse du corps, cite Estelle avec un sourire entendu.

— C'est ça, l'instinct, l'intuition, la grande sagesse du corps… Tu as eu le temps de regarder la mélodie que je t'ai donnée ?

— Oui, mais je n'y arrive pas bien.

— Vas-y, chante-la, que je t'entende un peu.

Dario s'assied au piano, donne la note du départ et plaque quelques accords pour accompagner Estelle. Au bout de quelques mesures, elle bute sur une note, s'irrite contre elle-même. Elle soupire, se contracte, reprend, se trompe de nouveau, se braque et, pour finir, se met en colère.

— Je n'y arrive pas ! peste-t-elle.

— Tout doux, ma belle ! On ne peut pas chanter quand on est tendu, c'est physiologique, explique Dario… Tu fais encore trop appel à la volonté. Tu voudrais être une autre femme, chanter mieux, tout réussir.

Et si ça ne marche pas aussi bien que tu le voudrais, tu te braques. Tu te mets en colère contre toi-même, tu te juges mal, et plus tu t'en veux, plus tu t'énerves. C'est un bazar sans fin, incompatible avec le chant. Chanter, c'est d'abord se détendre, se faire confiance et accepter ce qui vient, comme ça vient, selon la forme du jour. On va faire une pause et souffler un peu.

Un moment de relaxation et quelques lents exercices de respiration plus tard, Dario propose à Estelle une vocalise qu'elle apprécie pour la remettre en confiance, puis il l'invite à chanter le morceau après lui, phrase par phrase. Rapidement, ses blocages tombent et elle retrouve le sourire jusqu'à la fin de l'heure.

Dario l'aide à enfiler son manteau :

— Encore un cours passé à toute allure ! D'ailleurs… À propos du temps qui file, tu pars bientôt pour ta grande marche au Maroc, non ?

— Oui ! C'est pour début février. À vrai dire, je suis en pleine préparation ! J'ai retenu la leçon de mes courbatures dans le Vercors, donc je m'entraîne tous les jours sur mon tapis de course, dit Estelle avec un petit rire…

— Qu'est-ce qu'il y a de drôle ?

— Rien ! C'est un truc qu'a dit Béa… La dernière fois qu'elle est venue à la maison, elle a dit qu'il était toujours là, à traîner dans un coin, comme un vieux compagnon de célibataire endurcie !

Dario sourit à son tour.

— Comme un animal de compagnie ?

— Un instrument de torture, plutôt ! Enfin bref… Je me suis aussi acheté des chaussures de marche, des lunettes polarisées, des ustensiles pour bivouaquer, un sac à dos ultraléger, des couvertures pour la nuit. Il paraît qu'il fait un froid de loup dans le désert, la nuit...

— Eh bien, quelle aventure !

— En fait, pour être tout à fait honnête, je suis prise d'angoisse dès que je pense à ce voyage ! Mais je tiens bon. Pas seulement pour ne pas décevoir l'ami qui m'a invitée à faire cette marche avec lui, mais pour moi, pour ne plus me défiler chaque fois que quelque chose me dérange ou me fait peur.

— C'est la première fois que tu vas en Afrique ?

— Oh, Dario, si tu savais... C'est pratiquement la première fois que je sortirai de mon petit coin de France ! Déjà, le Vercors, c'était une première pour moi, une vraie découverte. À part une classe de neige en Savoie, quand j'étais au collège, je n'avais jamais vu la montagne, tu te rends compte ? En dehors de la Vendée de ma petite enfance, tout ce que je connais, c'est Paris et mon petit bout de banlieue ! En fait, je suis très casanière. Je ne me sens bien que chez moi, avec mes affaires, mes habitudes, mon train-train. J'ai un mal fou à sortir de ma petite routine.

— Eh bien alors chapeau, c'est fabuleux ! Tu dois l'aimer, ton ami, pour le suivre jusque dans le désert, sur un autre continent. Comment il s'appelle ?

— Raphaël.

— Un prénom d'ange et de peintre... Heureux homme !

— Oui, enfin... Tout mon problème est là. Je suis sûre qu'il est formidable, mais je ne suis pas sûre de l'aimer et encore moins de *vouloir* l'aimer.

Dario lui adresse un grand sourire, aussi lumineux et bienveillant que sa voix lorsqu'il chante.

— Ah, voilà, je retrouve mon Estelle ! C'est comme pour le chant, n'est-ce pas ? Tu voudrais contrôler, assurer, réussir et *tutti quanti* ?

Devant la moue d'Estelle, Dario poursuit :

— Sauf que pour chanter ou pour aimer, tu vas devoir lâcher prise, *tesoro*, et faire confiance. À toi et aux autres.

— Ah non, pas toi, tu ne vas pas t'y mettre aussi !

— Me mettre à quoi ?

— À me demander de lâcher prise ! Non ! C'est un complot ou quoi ? On dirait que tous mes proches se sont donné le mot ! C'est bien gentil, mais je voudrais vous y voir...

Dario approuve.

— Sur ce point, je ne peux que te donner raison. Ça prend du temps, c'est vrai, mais ce n'est pas impossible. Je suis passé par là, moi aussi. D'ailleurs, quand on apprend à chanter, on passe tous par là...

Je me laisse vivre.

## 21

*Chère Béatrice,*

*J'espère que tout va bien pour toi. Pour ma part...*
*Eh bien c'est fait, j'y suis ! Qui l'aurait cru ? Toi,*
*sans doute, sans quoi tu ne m'aurais pas tant sou-*
*tenue et encouragée avant mon départ ! C'est vrai*
*que je n'en menais pas large... Jusque-là, je n'avais*
*jamais laissé Manon plus de quelques jours. Bien*
*sûr, j'ai une confiance absolue en Antoine et Louis,*
*mais j'avais l'impression d'abandonner ma fille et*
*je sentais un grand vide en moi... Figure-toi que la*
*nuit avant le départ, entre ça et l'excitation mêlée*
*d'angoisse de prendre l'avion pour la première fois,*
*je n'ai presque pas dormi. Il y a plus de six heures de*
*voyage entre Paris et Ouarzazate, au sud du Maroc,*
*avec une escale à Casablanca. Bon, comme tu t'en*
*doutes, tout s'est très bien passé. Raphaël m'a gen-*
*timent laissé la place près du hublot, et j'ai passé*
*une grande partie du temps de vol à regarder le ciel,*
*les nuages, les montagnes ou la mer tout en bas,*
*pendant que Raf lisait un livre d'Edgar Morin sur*
*la pensée complexe ! Tu vois le tableau ? Un peu*

*comme si je lisais Proust à la plage ! Une fois arri-*
*vés à Ouarzazate, nous avons pris un car qui nous a*
*emmenés jusqu'à Taouz, dans le Sahara, aux portes*
*du désert...*

*Depuis, le dépaysement est complet. Bien au-delà*
*de ce que je pouvais imaginer. Il n'y a plus rien qui*
*ressemble à quoi que ce soit que je connaisse, ni la*
*langue, ni les paysages, ni le climat, ni la nourri-*
*ture. Rien. À part Raphaël, et du coup, je suis bien*
*obligée de reconnaître que je suis contente qu'il soit*
*là. Nous partageons la même tente berbère, ce qui*
*m'a permis plusieurs fois de redécouvrir à quel point*
*il est beau (pétard !), de la tête aux pieds, et j'en*
*passe ! Vu l'effet qu'il me fait, je dois me rendre à*
*l'évidence : contrairement à ce que je voulais bien*
*croire, je ne suis pas de marbre ! Je suis même*
*encore une femme bien vivante ☺. Cela dit, Raf est*
*remarquablement discret et m'épargne toute allusion*
*sexuelle... Enfin à part hier soir, mais c'était de*
*bonne guerre et pas bien méchant : au moment de*
*nous endormir (chacun de son côté, oui, oui, juré),*
*il a cru bon de m'expliquer que dans les couples*
*où les partenaires se couchent à la même heure, la*
*sexualité est beaucoup plus fréquente et plus épa-*
*nouie ! J'ai fait un commentaire un peu sec pour*
*en rester là...*

*Ici, le paysage est à la fois immuable et chan-*
*geant, fait de dunes de sable à l'infini, sous un ciel de*
*pur azur. Chaque matin, nous faisons tous ensemble*
*un échauffement musculaire, puis chacun récu-*
*père sa ration de nourriture pour la journée. Pour*
*nous orienter, nous avons une carte, une boussole*

et un compas, avec des indications très claires sur la randonnée du jour. Nous devons garder précisément le cap pour ne pas nous perdre. Cela dit, lorsque certains s'éloignent trop, un animateur du groupe part les chercher pour les réorienter correctement. Nous marchons environ vingt-cinq kilomètres par jour, parfois trente. C'est énorme, et je me dis chaque fois que j'ai bien fait de m'entraîner avant de partir ! Nous sommes suivis de près par la caravane des dromadaires, qui portent les tentes, le matériel et la nourriture.

Inutile de te dire qu'il fait très chaud le jour – le thermomètre dépasse les 40 °C dans l'après-midi – et très froid la nuit. Hier, nous sommes montés jusqu'au sommet de la plus haute dune pour admirer un panorama d'une extraordinaire beauté, puis nous avons découvert un oued en contrebas, avec des peintures sur la roche. Le soir, nous avons fait halte dans une oasis. Cela m'a fait du bien de voir autant d'eau après des jours entiers de marche sur un sol complètement aride et sous un soleil de feu.

La grande hospitalité des nomades n'est pas légendaire pour rien. Leur gentillesse toute simple me bouleverse et je suis chaque fois époustouflée par leur générosité... sans parler de la nourriture, carrément divine. Chaque soir, nous construisons un bivouac éphémère, fait de tentes berbères avec des tapis. Celles pour les repas, l'infirmerie ou la toilette sont les plus grandes. Avant le repas en commun, nous pouvons savourer un verre de thé à la menthe en admirant les couleurs fabuleuses du *soleil couchant... et en soignant les ampoules sur nos pieds !*

*Je finis de t'écrire cette lettre d'Ouarzazate où nous sommes rentrés, aussi émerveillés qu'épuisés et perclus de courbatures... À la fin de notre troisième jour de marche, après une randonnée plus longue que les autres jours, j'étais tellement exténuée que je n'arrivais plus du tout à contrôler mon corps, ma tête ou quoi que ce soit. À ce moment-là, j'ai senti que je lâchais quelque chose dans la dernière descente, quelque chose de très profond en moi, comme si un barrage avait enfin cédé, laissant toute l'eau se répandre librement et la vie reprendre ses droits. Depuis, je dors comme un loir, d'un sommeil si profond que Raf doit longuement me secouer le matin pour me réveiller, et j'émerge de la nuit avec l'impression d'avoir fait un très long voyage dans un pays inconnu. Oui, je sais, c'est le cas, mais là je veux plutôt parler d'un monde fantastique comme dans les contes pour enfants. Enfin, j'arrête mes divagations, tu vas finir par croire que je suis devenue dingue ! Raphaël m'a fait remarquer que depuis, je me plains beaucoup moins et je me crispe moins sur certains détails sans importance. Alors, là, je suis ébahie : vive le désert, ça vous change une femme !*

*Oui, c'est vrai, ma chère Béa, le désert m'a transformée. Je me sens différente, j'ai remis des tas de choses en perspective, je relativise bien plus et j'ai hâte de te revoir pour aller danser la samba dans un petit troquet de Bagnolet... Non, cette fois-ci, je ne plaisante pas ! Je t'y emmènerai, tu verras. Ça fait une éternité que je n'y suis pas allée, mais j'ai une folle envie de danser*

*et je crois que je ne vais plus me priver de m'amuser*
*maintenant...*
  *Je t'embrasse bien fort et te dis à tout bientôt,*
*Estelle.*

# PRINTEMPS

## 22

Après deux heures de route dans un silence presque complet, ils ont rejoint la forêt de Senonches, au cœur du Perche. Raphaël a garé sa voiture sur un chemin sylvestre qu'il connaît bien, puis ils se sont enfoncés dans les bois.

Il est heureux qu'Estelle ait finalement accepté de l'accompagner dans cet endroit magique où, comme nulle part ailleurs, on peut sentir l'énergie du printemps à l'état brut, prendre conscience de la puissance des forces vives qui émanent de la terre. En avançant d'un pas souple sur le sol tendre, il nomme les arbres, désigne les premiers bourgeons qui éclosent, les violettes, les muscaris, les crocus et les premières jonquilles qui tapissent de-ci, de-là les sous-bois.

Bien vite, ils se sentent enveloppés par une atmosphère mystérieuse, obscurément enchanteresse, comme s'ils allaient rencontrer Merlin ramassant des herbes pour préparer ses potions ou se laisser surprendre par un druide jaillissant de l'ombre d'un fourré de cette forêt dense de charmes, de chênes et de hêtres.

— Ça faisait un bout de temps qu'on ne s'était pas vus..., dit doucement Raphaël.

Estelle effleure l'écorce d'un grand arbre élancé dont elle ignore le nom et acquiesce, un peu gênée.

— Plus d'un mois. Depuis notre voyage au Maroc...

— Tu m'as manqué.

— C'est vrai ?

— Bien sûr. Je commençais à trouver le temps long. Tu ne m'as donné aucune nouvelle.

Elle regarde de nouveau l'arbre comme si elle attendait de lui qu'il lui souffle une réponse et le caresse légèrement.

— C'est un hêtre.

— Comment ?

— L'arbre auquel tu t'adresses, dit Raphaël en souriant. C'est un hêtre.

Estelle sourit à son tour et se tourne vers lui avant de recouvrer son sérieux, tandis qu'ils se remettent en marche.

— Tu sais, j'ai été chamboulée par cette marche dans le désert. Vraiment... Depuis notre retour, je n'arrive pas à retrouver mes marques. J'ai l'impression que mes repères se sont volatilisés. Je n'ai plus le même entrain au travail, enfin, si on pouvait appeler ça de l'entrain, dit-elle avec une moue dubitative. J'ai toujours su que la comptabilité n'était pas vraiment mon choix, mais jusque-là, je me forçais à bien faire pour pouvoir payer mes charges, comme tout le monde, et ça m'allait à peu près. Maintenant, ça ne me va plus. Ça n'a pas de sens, je ne peux pas passer mon temps à faire des efforts, j'ai besoin de me sentir vivante, sans quoi mon existence ne rime à rien.

Elle lève les yeux vers Raphaël dont le visage semble rayonner, là, dans cette forêt qui est indubitablement son élément.

— Enfin, dit-il seulement.

— Quoi ?

— Enfin tu t'en rends compte ! J'espérais que ce moment viendrait. Pour toi, pour nous.

Estelle fronce les sourcils.

— Tu me trouves pénible ?

— Eh bien…

— Sois honnête, je ne t'en voudrais pas de le penser ! C'est aussi l'opinion que j'ai de moi et j'ai besoin de l'entendre.

Raphaël a un léger rire.

— Si tu le dis ! Parfois oui, pas toujours. De moins en moins.

— Ah bon ?

— Depuis quelque temps, je te trouve nettement moins dure, plus ouverte, plus détendue. On peut te parler sans que tu te braques aussitôt. Tant mieux, non ?

Estelle ralentit un peu et demeure un moment silencieuse. Elle écoute le chant des oiseaux, les craquements de l'écorce ou de quelque branche morte sous ses pas. Elle sent ses poumons se déployer peu à peu sous la caresse de l'air frais qui entre en elle. Sa respiration se fait plus ample, et elle perçoit des parfums rares monter de la terre, ceux de l'humus ou des taillis tout proches.

— En tout cas, reprend Raphaël, ça me fait plaisir que tu aies accepté de venir te promener ici avec moi et… regarde ! Tu as vu ces oiseaux ?

Il lui désigne plusieurs mésanges bleues sur un amas de branches et des grives qui sautillent un peu plus loin. Il lui fait tendre l'oreille au chant mélodieux des merles, au roucoulement flûté des tourterelles des bois et au cri rauque des faisans. Puis il l'invite à choisir un arbre qui lui plaît, à toucher son tronc, sentir son énergie, l'entourer de ses bras et poser sa joue contre lui. Estelle prête attention aux intonations de sa voix, attendrie par cet amour entier qu'il porte aux arbres et à la nature.

— Je suis venu me promener ici cet automne, reprend-il. En une journée, j'ai trouvé soixante-cinq types différents de champignons. C'est énorme, non ? Une autre fois, je suis venu ramasser du petit bois, pour allumer le feu dans la cheminée. Cueillir des fruits, chercher des champignons, glaner du bois mort... Ça m'amuse beaucoup. Quand je fais ça, je me sens comme un gosse.

Estelle hoche la tête en souriant.

— Oui, on n'a pas de but précis, comme dans un jeu d'enfant. Ça m'apaise aussi.

Après quelques secondes de silence, elle ajoute :

— Ils habitaient où, tes parents ?

— Près d'Arles. Ils avaient une petite maison avec un bout de jardin que tout le monde adorait. Alors le week-end, surtout à la belle saison, c'était toujours plein d'amis ou de voisins. Il y avait une de ces ambiances ! C'était un autre monde, un autre temps...

— Pourquoi ?

— J'ai l'impression que la vie était plus facile. Je voudrais vivre de nouveau ce bonheur-là, le bonheur simple de la vie qui coule avec des gens que tu aimes et qui t'aiment.

— Moi, je n'ai pas connu ça, mais ça me tente, c'est sûr.

— Estelle !

Raphaël s'arrête de marcher, soudain grave. Il se place devant la jeune femme et la regarde dans les yeux avec intensité.

— Quoi ? dit-elle, surprise, observant autour d'elle comme si elle s'attendait à voir une bête sauvage.

— Qu'est-ce que tu attends pour être heureuse ?

Estelle se tait.

— La fin du monde ?

— Euh… non. Enfin, j'n'en sais rien. En fait, je ne m'étais même pas rendu compte que j'attendais… Je crois que tu viens de dire un truc vraiment important pour moi.

Elle détourne les yeux, soudain troublée. Elle se sent vaciller et ne sait pas trop comment expliquer ce qu'elle vient de comprendre dans une sorte de flash, une fulgurance qui lui donne le tournis.

— J'attendais, j'attendais, mais je ne savais ni qui j'attendais ni *ce que* j'attendais, confie-t-elle. J'attends sans cesse, je ne fais qu'attendre… Oh, quelle histoire ! Ça me donne la chair de poule. J'aurais pu attendre longtemps, hein ?

Elle regarde Raf, découvre de nouveau son visage éclairé par un sourire lumineux et des yeux étincelants. Sans hâte, il pose les mains sur ses épaules et les presse légèrement pour lui communiquer la chaleur qui monte de son cœur. Puis il se penche vers elle, embrasse ses lèvres, s'y attardant pour goûter leur velours et leur fraîcheur, et la serre dans ses bras. Délicieusement surprise, elle savoure pleinement la joie de retrouver Raf, de se laisser embrasser, de fondre de plaisir dans ses bras sans se retenir, et lorsque sa langue chaude se fraye délicatement un chemin dans sa bouche, elle se sent transportée par une sorte de tressaillement céleste qui naît au creux de son sexe et remonte dans son ventre, puis sa gorge, pour finir dans son esprit. *Et si c'était cela que j'attendais ?*

Étonnée et heureuse autant qu'il semble l'être, lui aussi, Estelle approche sa main de celle de Raphaël, qui la saisit et presse ses doigts. Sa vive chaleur lui fait du bien. Profondément soulagée, sans savoir encore trop de quoi, elle se dit que tout sera plus facile maintenant, elle le sait, elle le sent, et elle pose sa tête sur son épaule.

## 23

— Bonsoir m'man !

Débordante d'énergie, Manon entre en trombe dans l'appartement et gratifie sa mère d'un saut de chat, comme le lui a appris Théo, avant de foncer dans sa chambre.

Les yeux perdus dans la contemplation de l'écran noir de son téléphone portable, Estelle lui adresse un petit sourire machinal sans répondre.

— Bonsoir ma jolie, dit Béa, tu n'as pas l'air…

Voyant Manon revenir droit sur elle, la voisine recule d'un pas et heurte un guéridon, sur lequel est posé un vase qui bascule et explose en morceaux, éparpillant son petit bouquet de fleurs séchées sur le sol.

— Oh, mince ! Je suis vraiment désolée. Quelle maladroite je suis ! Je t'en offrirai un autre…

Estelle semble soudain s'éveiller et pose son smartphone sur la table. Elle secoue la tête :

— Ne t'inquiète pas, Béa. À vrai dire, je n'aimais pas tellement ce vase. C'était un cadeau d'un oncle que je n'apprécie pas du tout. Il me l'avait offert pour la naissance de Manon. Tant mieux, m'en voilà débarrassée… du vase, pas de l'oncle.

— Qu'est-ce qu'il t'a fait, cet oncle ?

— Rien, heureusement ! Mais c'était un spécialiste des vannes salaces et il ne s'est pas gêné pour me faire des avances quand j'étais ado, dit Estelle en frissonnant. Un gros porc, quoi ! Je ne sais même pas pourquoi j'ai gardé son foutu vase. Enfin bref, bon débarras !

Gênée d'avoir réveillé sans le vouloir ces souvenirs, Béatrice court vers la cuisine chercher une pelle et une balayette. Estelle l'arrête d'un geste tandis qu'elle se baisse pour ramasser les éclats.

— Ne bouge pas, je vais le faire, pas question que tu te casses le dos. Manon, tu peux apporter l'aspirateur, s'il te plaît ? lance Estelle à sa fille, qui goûte à la cuisine en chantonnant.

— Bon, je vais quand même essayer de te le remplacer, insiste Béatrice.

— Non, pas la peine, je t'assure. En ce moment, je fais le vide, alors tu vois, ça tombe bien. Je devrais même te remercier !

Estelle passe l'aspirateur puis le range dans le placard de l'entrée.

— Tu veux boire quelque chose ?

— Volontiers. Tu me fais goûter un de tes thés fumés ?

— Allons-y pour un Lapsang souchong, ça me fera du bien aussi.

Estelle fait bouillir de l'eau, remplit la théière et dispose deux tasses, pendant que Manon et Béatrice chantent une chanson qui les fait rire.

— À propos, dit cette dernière, est-ce que Manon serait libre samedi après-midi ?

— Oui, pourquoi ?

— J'emmène les enfants de ma classe libre écouter Yor Pfeiffer en concert. Je suis sûre que ça plairait à notre jeune acrobate.

— Oui, très bonne idée ! Ça te dit, Manon ?

La bouche pleine, la fillette hoche vigoureusement la tête.

— Oh oui, oui !

Estelle verse le thé dans la tasse de Béatrice.

— Qui est-ce ? demande-t-elle.

— Un grand bonhomme ! s'enthousiasme Béa. Je l'ai rencontré aux Petits Zèbres, un salon consacré aux enfants précoces, avec des conférences et des ateliers extraordinaires… Enfin bref, on a tout de suite sympathisé et on a fini par devenir amis. Il habite à Forcalquier, dans les Alpes du Sud. Je te passerai son livre, *Je suis parce que nous sommes*, un vrai bijou et une leçon de vie, qui correspond complètement à la philosophie de Lutopie. C'est aussi une devise africaine ; en bantou ça se dit « *ubuntu*[1] ». Toutes ses chansons reposent sur ce principe et célèbrent la solidarité, le lien, l'entraide, le don, le partage du bonheur et le soutien mutuel. Bref, c'est un chic type, je l'adore, et les gosses sont complètement fans de ses chansons gaies et entraînantes. Alors ? On a ton feu vert ?

— Bien sûr ! D'ailleurs, cette devise irait aussi comme un gant à notre petit groupe d'amis… Tiens, Manon, et si vous proposiez à Théo ? Si tu es d'accord, bien sûr, Béa.

— Oui, trop bien ! s'enthousiasme la fillette avant de filer dans sa chambre.

1. Que l'on prononce ou-boun-tou…

— Avec plaisir, confirme Béa. Et toi aussi, tu es la bienvenue, évidemment… Dis, qu'est-ce qu'il est bon, ton thé ! Un vrai délice.

— Mmm…

Estelle ne paraît pas tout à fait concernée. Elle semble s'être soudain rembrunie.

— Ça va, Estelle ? Tu n'as pas l'air dans ton assiette. Tu es blême… C'est à cause du vase ?

— Non, non, pas du tout ! En fait… Eh bien avec tout ça, j'avais presque oublié mais avant que vous n'arriviez j'ai…

Estelle s'interrompt et cherche ses mots. Béatrice fronce les sourcils, inquiète.

— Qu'est-ce qui t'arrive ?

— C'est compliqué…

— On dirait bien, mais encore ? Rien de grave j'espère ?

Estelle relève la tête et respire un grand coup avant de se lancer :

— Eh bien, tout à l'heure, j'ai été contactée sur Facebook par une certaine Eulalie, elle… Elle prétend être ma sœur… enfin ma demi-sœur. La deuxième fille de mon père.

Estelle marque un temps d'arrêt et tripote nerveusement l'anse de sa tasse, tandis que Béatrice l'encourage d'une voix douce.

— Tu n'étais pas au courant ?

Estelle secoue la tête.

— Non… Elle propose qu'on se rencontre.

— Ah ? Et toi ? Tu voudrais la rencontrer ?

— Je ne sais pas. J'ai peur…

— Peur de quoi ? Je comprends que ce soit déstabilisant, mais… peur ?

— Tu me connais… J'ai peur… de tout ! De la voir, de la décevoir, de voir la réalité en face, si cette histoire est vraie…

— Tu en doutes ?

Estelle laisse entendre un petit rire sans joie.

— Pas tant que ça… À vrai dire, c'est même mon père tout craché. Un coureur invétéré. Il n'a pas cessé de tromper ma mère, alors ce ne serait pas surprenant qu'il ait une fille cachée quelque part.

— Tout de même, quel choc !

— Oui… Je ne sais pas si je suis surtout surprise, triste ou en colère. Tout cela à la fois, en fait. J'oscille entre le dégoût, la révolte contre mon père et la curiosité envers cette jeune femme. J'ai toujours été fille unique, tu comprends ? Et je t'ai parlé de mon enfance… Alors quitte à avoir une sœur, j'aurais préféré la connaître depuis toujours, jouer avec elle, grandir avec elle. Tu vois ?

— Oui, je vois très bien. Mais le mieux est peut-être de la rencontrer et d'en avoir le cœur net, tu ne crois pas ?

— Peut-être, oui… Tu as probablement raison. Je vais d'abord l'appeler. Puis, si je suis convaincue, je la rencontrerai.

Je suis parce que nous sommes.

## 24

— On se revoit bientôt, n'est-ce pas ? Pourquoi pas chez Mariage Frères ?

— Bonne idée ! Des frères pour une rencontre entre sœurs…, dit Estelle en riant. En tout cas, quand tu voudras. Maintenant que j'ai une sœur, je ne vais pas la lâcher !

Sur le pas de la porte, les deux jeunes femmes s'étreignent chaleureusement, et Estelle regarde la silhouette élancée de sa sœur, vêtue d'un long manteau fluide dans les teintes fauves, s'éloigner en remontant la rue Notre-Dame-des-Champs. Un léger sourire aux lèvres, Estelle retourne chercher ses affaires qu'elle a laissées à leur table, mais se ravise au moment d'enfiler sa veste. *Que d'émotions ! Et si je restais encore un peu pour me remettre de tout ça ?*

Elle se rassied et demeure pensive durant de longues minutes, le regard dans le vague et le cœur léger, puis jette un coup d'œil autour d'elle. Le salon de thé est meublé de tables rondes et carrées en bois clair, où sont posés des sets de coloris assortis, agrémentés de serviettes d'un jaune lumineux. Une large porte-fenêtre donne sur une cour calme plantée d'arbustes dans de grandes jardinières et laisse passer une agréable clarté. On n'entend pas le bruit de la rue, seulement le murmure des conversations et une musique baroque qui emplit délicatement l'espace. *La* Passion selon saint Jean*, de Bach ? Oui, je crois bien...*

Estelle se remémore les parfums qu'elles ont choisis : pour Eulalie, un thé bleu « Toit du monde », mêlant délicatement vanille, bergamote et jasmin, et pour elle, un thé blanc « Mon amour », aux notes d'orchidée, rose, poire et cardamome. À sa droite, dans un grand vase, une guirlande de papier diffuse une lumière blanche, douce et opalescente, et au-dessus, un triptyque de peintures représente différentes sortes d'orchidées. Les appliques murales translucides sont en forme de feuilles, et des théières de tournures et de tailles variées, en porcelaine délicate ou en fonte ouvragée, unies ou colorées, s'alignent sur les étagères, alternant avec de beaux livres sur le thé. Non loin, sur une table basse, près d'un profond canapé, elle repère le catalogue George Cannon. Un large rayon de soleil semble glisser à l'oblique à travers la vitrine jusqu'au grand escalier en forme d'hélice qui permet de rejoindre la salle à l'étage.

Estelle décide de se faire plaisir, comme ne manque jamais de le lui rappeler Antoine. Elle commande un rooibos « Safari rouge », ainsi qu'un cake sans gluten à la pistache et aux éclats de chocolat, servi avec un tapioca d'une belle couleur verte au matcha et un financier au même thé vert.

Absorbée dans une contemplation intérieure qui semble avoir arrêté le temps, Estelle repense à un rêve de la nuit précédente. Le soleil se levait et commençait à dépasser la cime des grands arbres dressés de l'autre côté d'un long mur en pierres. Les rayons rose saumoné emplissaient l'air et faisaient vibrer de notes mauves les gouttes de rosée, donnant au ciel et à la terre une allure printanière. Brusquement, le grand mur s'effondrait de bout en bout, puis disparaissait, laissant place à une prairie verdoyante que traversait une rivière aux reflets cristallins et changeants, dorés çà et là par le soleil. *Quel rêve ! À l'image de ce que je vis... Il y a quelques jours seulement, je ne savais même pas que j'avais une sœur. Ce matin encore, je n'avais jamais vu Eulalie et, maintenant, j'ai l'impression de la connaître depuis toujours.*

La levée du voile sur ce secret si longtemps enfoui lui donne le sentiment soudain qu'on l'a contrainte jusqu'à ce jour à vivre dans un décor de théâtre en prétendant que le monde réel était ainsi. Désormais, elle peut voir l'envers du décor, le théâtre lui-même, et bien au-delà, dehors, vers un horizon sans limites. *C'est comme si je n'avais pas été vraiment libre jusque-là, comme si je gagnais enfin ma liberté.* Le choc est tel, son existence en paraît si bouleversée qu'elle est prise d'une puissante envie de dormir.

Titubant presque, Estelle rejoint le canapé et se recroqueville. Une serveuse se précipite vers elle.

— Ça va madame ?

— Oui, murmure Estelle, j'ai juste besoin de fermer les yeux quelques instants...

— Autant que vous voudrez... Je mets vos affaires de côté.

Estelle remercie et accepte avec un faible sourire avant de sombrer dans un sommeil profond.

Elle s'éveille après ce qui lui semble une éternité et remercie de nouveau la serveuse, venue prendre de ses nouvelles.

— Vous avez dû avoir une émotion forte, n'est-ce pas ?

— On peut le dire, oui…, répond Estelle. Merci encore pour… pour tout, ajoute-t-elle en désignant le canapé avec un tout petit rire gêné.

— Je vous en prie, c'est naturel. Prenez soin de vous.

Estelle acquiesce et quitte le salon de thé. L'air frais la réveille un peu, mais elle se sent encore hagarde, perdue, alors qu'elle arpente les rues de ce quartier qu'elle connaît si bien et qui pourtant lui semblent étrangères. Lorsqu'elle passe la grille du jardin du Luxembourg, une émotion l'étreint en constatant que certains arbres sont déjà couverts de feuilles d'un vert très tendre. Elle avance dans les allées en songeant à ses parents, pour qui elle a toujours eu le sentiment d'être un poids ; elle pense à cette atmosphère de secret et de mensonge, à l'anxiété permanente de sa mère et à l'indifférence de son père. De nouveau, comme un insupportable fardeau, cette fatigue de plomb l'assaille et ralentit son pas. *Je ne veux plus me sentir coupable à leur place !* Estelle a prononcé cette phrase à voix haute, comme un cri du cœur, un cri de libération. Les promeneurs se retournent sur elle en riant sans comprendre. Estelle aurait presque envie de se rouler dans l'herbe, ici même, sur ces pelouses à la française, pour s'ébrouer comme un cheval et se libérer de ce poids impossible. Elle s'assied sur une chaise métal-lique encore trempée des giboulées de l'après-midi, pousse un profond soupir et pense à ses amis, Flora, Béatrice, Antoine, à leur générosité, à la chaleur de leur affection. Désormais, elle veut accepter cette générosité sans restriction, oui, de tout son être, et accueillir leur affection. *Voilà ma vraie famille !*

*Et si c'était ça, lâcher prise ? Ne rien faire ? Accueillir mes émotions, mes pensées, sans m'y accrocher. Accepter ce que mon corps me dit, ces sensations qui vont et viennent. Cette fatigue… Ce bien-être aussi. Vivre surtout. Vivre ! Me laisser enfin vivre !*

Avant de se diriger vers la station de métro, Estelle esquisse un pas de danse et accueille comme un rayon de soleil le sourire amusé des passants.

J'accepte sans réserve la générosité de mes amis.

## 25

La nuit a été presque blanche, entrecoupée de cauchemars. Tendue, le bas du dos endolori, Estelle se lève péniblement, à la fois abattue et très en colère. Incapable d'aller travailler, elle se résout à laisser Manon partir seule à l'école, non sans l'avoir assommée de recommandations. Une fois seule, elle ne tient pas en place et tourne dans l'appartement comme un lion en cage. Sur le canapé, elle prend un coussin qu'elle jette furieusement contre l'accoudoir, renversant au passage les pièces de l'échiquier en bois posé sur la table basse. Elle aurait envie de casser des piles d'assiettes, de briser tous les verres et les tasses de ses placards et de balancer ses livres par la fenêtre. Elle s'assied un instant pour permettre à son cœur de retrouver un rythme plus calme. *Pauvre Eulalie, découvrir qu'on a une sœur et se retrouver avec une cinglée comme moi...* Elle lâche un faible rire désabusé. Non, bien sûr, ce n'est pas à Eulalie qu'elle en veut, mais à son père. Son père qui lui a caché l'existence de cette petite sœur, qui ne pensait qu'à lui, qui n'arrivait pas à être sincère avec elle, comme si elle n'existait pas vraiment.

Dans la cuisine, elle commence à se préparer un thé mais renonce rapidement, l'estomac noué. Quant à manger, c'est au-dessus de ses forces. Elle retourne se coucher, aussi épuisée que si elle avait couru un marathon. *Courir ?* Cette seule pensée la dégoûte, à tel point qu'elle envisage sur-le-champ de se débarrasser de son tapis de course. Elle ne veut plus faire d'effort, pour rien ni pour personne. *À quoi bon ? J'ai assez trimé jusque-là. J'ai toujours été la fille modèle, impeccable, irréprochable. Tout ça pour quoi ? Hein ? Pour rien... Et personne ne me faisait assez confiance pour me dire la vérité ! Même pas mon foutu père ! Maintenant STOP, je n'en peux plus, je renonce à bien faire. Advienne que pourra...* Estelle envoie valser un oreiller contre le mur, frappe le matelas de ses poings fermés et trépigne. *Vivement ce soir, que je puisse me lâcher un peu avec Béatrice !*

Elle tourne ainsi en rond pendant toute la journée, s'allonge sur le lit, s'assied – chaque fois avec un cri de douleur tant son dos la tourmente –, écrit une lettre à son père, qu'elle déchire frénétiquement sitôt après l'avoir signée, échafaude des plans plus invraisemblables les uns que les autres pour partir au Canada, au Brésil ou en Australie, peu importe tant que c'est le plus loin possible de ses parents. *Un océan entre eux et moi, au moins, pour qu'ils cessent de me pourrir la vie.*

En fin d'après-midi, Estelle se sent un peu moins fiévreuse et agitée, mais encore plus abattue. Elle a l'impression que ses pieds pèsent des tonnes, comme s'ils étaient enlisés dans une boue épaisse. Lorsque Manon revient, elle en éprouve un réel soulagement et lui propose de s'inviter à goûter chez leur voisine. Celle-ci leur ouvre avec un grand sourire, tandis qu'une délicieuse odeur de gâteau leur parvient de la cuisine. En voyant Estelle penchée en avant, une grimace douloureuse sur le visage, elle fronce les sourcils.

— Oh, ma pauvre, qu'est-ce que tu as, tu boites ?

— J'ai le dos coincé depuis ce matin, je n'ai pas dormi de la nuit et je suis furieuse, aboie Estelle avant de se radoucir. Désolée, Béa, mais j'ai vraiment très mal…

Béatrice fait un signe de compréhension et s'écarte pour les laisser entrer.

— Ta rencontre avec Eulalie s'est mal passée ?

— Non, pas du tout, au contraire ! Eulalie est adorable et jolie comme un cœur, en plus, avec ses yeux si verts. Mais j'en veux à mort à mon père, ce salaud. Je voudrais le piétiner, le bourrer de coups de poing et de pied. Je le déteste de m'avoir caché ça !

Béatrice se tait, aussi médusée que Manon par la violente colère qui submerge Estelle.

— J'ai envie de tout envoyer balader, je suis trop conne !

— Tu n'y es pour rien…

— Non, c'est sûr… Mais merde, j'en ai ras le bol de faire la gentille, madame Parfaite qui bosse et qui la ferme !

— Je ne vois pas le rapport.

— Eh bien moi si, je le vois, le rapport, hurle Estelle, et même gros comme une maison ! C'est peut-être difficile à accepter, mais mes parents ne s'intéressaient pas à moi. Pour eux, je n'existais pas, point barre. Mon père était seulement préoccupé par ses conquêtes pendant que ma mère s'enfonçait dans une dépression noire comme la suie. Encore heureux qu'elle ne se soit pas mise à boire, sinon c'était Zola assuré. Bref.

Alors moi, dans tout ça, j'ai voulu arrondir les angles. Faire tout bien comme il faut pour les rassurer, pour ne pas être un poids. Pour être un peu aimée. Oh, même pas aimée, putain ! Juste qu'ils me voient un peu, quoi !

Vidée, Estelle souffle et laisse retomber ses bras le long de son corps.

— Eh bien… Il était temps qu'elle sorte ta colère, dit doucement Béa. Tu te rends compte ? Tout ce temps à ravaler cette rage… toute cette rancœur. Les mensonges des autres finissent par nous faire marcher sur la tête, tu vois.

Estelle regarde son amie avec de grands yeux ronds, tandis que celle-ci poursuit sans lui laisser le temps de dire un mot :

— Alors écoute-moi bien, ma grande. À partir de maintenant, tu vas vivre sans jouer les madame Parfaite, tu vas te contenter d'être toi-même et ce sera très bien comme ça… Autre chose : tu vas laisser Raphaël entrer dans ta vie, parce que ça aussi, ça suffit. Si, si, ma cocotte, ne fais pas cette tête-là ! Y en a marre que tu foutes tout le temps en l'air la moindre promesse de bonheur ! Tu m'entends ?

Béatrice n'est pas en colère, mais la fermeté de ses propos semble remettre Estelle d'aplomb, comme si les faux-semblants et le secret l'avaient complètement désorientée.

— Ça va maman ? demande timidement Manon en se rapprochant.

— Oh… oui… je vais mieux, merci ma choupinette, répond doucement Estelle en soupirant puis en se baissant pour embrasser sa fille, ce qui lui arrache un petit cri de douleur. Enfin à part le dos ! Tiens, à propos, Eulalie m'a parlé d'une technique qui pourrait m'aider à lâcher prise, d'après elle, et Dieu sait que j'en ai besoin... Ça s'appelle le Watsu.

— Le quoi ? Ça ne me dit rien.

— Le Watsu. C'est un massage shiatsu dans l'eau. Tu es allongée dans une piscine, les yeux fermés, et le masseur ou la masseuse te fait faire des mouvements très doux en exerçant des pressions sur des points, partout sur le corps, le long des méridiens. D'après elle, contre le stress, c'est imparable. Je vais m'offrir ça et je t'en dirai des nouvelles...

— Excellente idée ! Si tu as besoin d'une chose, c'est bien qu'on s'occupe de toi. Allez les filles, je vous garde avec moi ce soir, et je vais vous mijoter un bon dîner rien qu'avec des produits frais que j'ai pris hier au marché. Manon, tu viens m'aider en cuisine, et toi, Estelle, tu te mets dans un fauteuil avec un coussin derrière le dos et tu ne bouges plus ! Repos ! ajoute-t-elle avant de poser un baiser sonore sur la joue de son amie, tandis que Manon fait de même de l'autre côté.

J'accueille chaque promesse de bonheur.

## 26

— Bonjour Béa.

— Salut ma belle ! Allez, entre.

— Tiens, regarde, dit Estelle en serrant sa voisine dans ses bras, j'ai trouvé ça au bois de Vincennes…

Elle lui tend une branche aux formes si humaines qu'elle semble presque vivante.

— Elle est magnifique, on dirait une danseuse !

— C'est exactement ce que je me suis dit ! Tu pourrais la peindre, non ?

Béa approuve et pose la branche sur la console de l'entrée, bien en évidence, entre une vieille photo dans un cadre baroque et une poupée colorée qu'elle a rapportée du Pérou.

— Merci ma grande ! Manon n'est pas avec toi ?

— Elle assiste à un cours de danse de Théo. Pascal est passé la chercher.

— Ces deux-là, ils s'entendent comme larrons en foire… Tu veux un thé ?

— Avec plaisir !

— Blanc à la fleur d'oranger et au jasmin ?

— Parfait !

— Alors, ce baptême ? demande Béatrice en versant l'eau dans la bouilloire.

— Fantastique ! Albertine est un bébé très calme et déjà aussi souriante que son frère.

— Quel joli prénom ! Ça me rappelle l'*Albertine disparue* de Proust...

— Eh bien celle-ci est bel et bien là ! Et craquante, tu verrais... Flora et Pascal étaient en grande forme, et c'est Théo qui portait sa petite sœur. Tu imagines ? Un baptême au beau milieu du bois de Vincennes en plein printemps, c'était magique !

— Il ne faisait pas trop froid ?

— Non, on était tous bien couverts, surtout la pitchounette. Et avec ce soleil magnifique, on se serait presque cru déjà en été.

— Et la cérémonie ?

— Rien de trop religieux. Flora et Pascal ont préféré un rituel chamanique, celtique, je crois, inspiré des druides de nos forêts. Raphaël s'était bien renseigné et avait tout préparé : un tambour en peau de chèvre sur lequel il tapait en rythme en chantant une mélopée, un peu comme un mantra, un bol en bois pour verser l'eau sur le front d'Albertine, un bouquet de gui au centre d'un cercle de pierres, et j'en oublie. L'endroit était charmant, au bord d'un ruisseau, près d'un arbre mort sculpté en hibou.

Béatrice la regarde, interloquée, en disposant de jolies tasses dépareillées sur un petit plateau publicitaire ancien.

— Il y a tout ça dans le bois de Vincennes ?

— Eh oui ! Moi non plus, je ne connaissais pas cet endroit, mais je t'assure que c'est charmant, très apaisant.

— Comme quoi, on connaît bien mal ce qui est le plus proche de chez soi… Eulalie a pu venir, en fin de compte ? s'enquiert Béatrice en versant l'eau frémissante sur le thé.

— Oui, elle était ravie de rencontrer notre petite bande, surtout Raf. Je pense qu'ils seront très copains, et ça me plaît bien. De toute façon, je ne vois pas comment on pourrait ne pas s'entendre avec elle. Elle est tellement facile à vivre, toujours enjouée… Plus que moi, en tout cas !

Béa secoue la tête avec un sourire et roule des yeux au ciel en servant le thé.

— Allez, viens t'asseoir un peu au lieu de dire des bêtises.

Estelle s'installe dans un fauteuil aussi élimé qu'accueillant et respire le fumet qui s'élève de sa tasse.

— Au fait, reprend Béa, comment s'est passé ton entretien avec le type de La Douce Fabrique ? C'était hier, pas vrai ?

— Oui ! Ça faisait des lustres que je n'en avais pas passé, j'avais un trac monstre ! Alors, avant d'entrer, j'ai fait quelques exercices que tu m'as appris, puis je me suis assise confortablement sur la chaise, j'ai pensé à mes pieds bien ancrés sur le sol. Je me suis centrée sur ma respiration, comme si j'allais chanter. J'ai même pincé le bout de chaque petit doigt, comme me l'a montré Dario. D'après lui, ça aide à se détendre.

— Et ?

— J'ai réussi à répondre aux questions sans trop bafouiller !

— Formidable, et alors ?

Estelle pose sa tasse et fait le V de la victoire.

— J'ai été prise ! Tu te rends compte ?

Béatrice se lève et embrasse chaleureusement Estelle.

— Formidable ! Je suis tellement contente pour toi. Ça ressemble au début d'une nouvelle vie ou je ne m'y connais pas !

— Eh bien si c'est ça, tant mieux ! Parce que mon ancienne vie, je n'en peux plus, s'exclame Estelle en riant aux éclats, avant de se rembrunir légèrement. Enfin… ce qui m'inquiète, maintenant, c'est de devoir annoncer mon départ de Planète Verte.

Béatrice verse le thé dans les tasses puis propose gaiement :

— Allez, tout doux, ma grande, chaque chose en son temps. On boit tranquillement notre thé, ensuite je te montrerai deux petits exercices Vittoz tout simples qui aident beaucoup dans ce genre de situation.

Estelle regarde Béa en souriant, soudain plus légère. Entre les deux femmes, il y a maintenant comme une évidence, et Estelle lui est reconnaissante de ce soutien qu'elle lui accorde en toutes circonstances, de ses encouragements à aller plus loin. *Tout l'inverse de ma mère... Enfin bon, maintenant c'est du passé.*

— Allez viens, lève-toi, propose Béatrice en se levant elle aussi lorsqu'elles ont fini leur tasse. Tes pieds sont bien posés par terre, tes genoux sont libres. Tu vas imaginer que tu es un arbre. D'accord ? Bon. Alors lève tes bras en les arrondissant devant toi. Regarde, je vais te montrer. Très bien. Maintenant, tu peux fermer les yeux. Sous tes pieds, tu visualises de profondes racines plongeant dans la terre. Sens la force de la sève qui monte à travers tes pieds, tes jambes, ton tronc, tes bras jusqu'à ta tête. Imagine aussi que tes branches sont garnies d'un très beau feuillage verdoyant…

Au bout d'une minute, peut-être deux – Estelle perd vite le fil du temps –, Béatrice lui propose de rouvrir les yeux et de détendre ses bras.

— Tu sens ? C'est aussi simple que puissant, n'est-ce pas ?

— C'est même spectaculaire ! Je le proposerai à Manon.

— Elle connaît déjà ! Ta fille est bien plus avancée que toi en Vittoz, ma chère. Elle m'a dit que grâce à nos séances, elle se sentait comme « un arbre qui marche et qui danse » !

Estelle éclate de rire.

— Tant mieux ! Et le deuxième exercice ?

— Celui-là aussi est très utile. Tu vas t'asseoir confortablement sur une chaise, où tu veux. Bien. Tu prends le temps de regarder autour de toi, puis tu choisis un objet. Quand tu te sens vraiment prête, tu te lèves, tu vas le chercher et tu reviens t'asseoir exactement où tu étais.

Après avoir considéré les objets du salon, Estelle se lève, se dirige vers une étagère, prend un joli galet peint et revient s'asseoir.

— Comment tu te sens ? interroge Béa.

— Très bien. J'ai l'impression d'avoir les idées claires.

— Exactement. C'est tout à fait ça : un choix précis exécuté précisément libère le cerveau et clarifie les idées. N'hésite pas à le faire plusieurs fois pour te sentir sûre de toi avant d'annoncer ton départ à ton patron.

Cela te facilitera la tâche. Tu seras plus convaincante parce qu'il sentira que tu es déterminée.

Estelle hoche la tête, reconnaissante.

— D'accord. Ça me rassure, c'est vrai. Je me sens déjà plus capable de lui annoncer la nouvelle…

— Épatant ! Tu vois à quel point la méthode Vittoz est simple et pratique ? C'est d'ailleurs pour ça qu'elle est si efficace. En toutes circonstances, le point de départ est la réalité concrète de l'expérience que tu vis, là, en temps réel. Les mots et les images viennent facilement parce que tu es d'abord attentive à tes sensations, à ce que tu es en train de vivre dans ton corps… et ça simplifie tout !

Mes choix sont précis. Je les affirme clairement.

## 27

Une belle lumière dorée baigne la rue, donnant une patine chaleureuse à l'appartement. *On dirait que les jours se décident enfin à rallonger !* Estelle consulte sa montre tandis que les éclats de rire de Manon et de Théo lui parviennent de la chambre à côté. *Bon, Laurent ne va pas tarder.* La première partie des vacances a filé à toute allure, et le père de Théo vient chercher son fils pour qu'ils passent la dernière semaine ensemble. Lorsque la sonnette retentit, Théo ouvre la porte à la volée en hélant Manon :

— Allez Manon, raboule !

Estelle le regarde en haussant les sourcils.

— « Raboule » ? Qu'est-ce que ça veut dire ?

— Ça veut dire « viens », « rapplique », « ramène-toi », explique joyeusement le garçon.

Manon arrive à toute allure et s'arrête devant sa mère en riant.

— Ou bien « ramène ta fraise », maman, renchérit la fillette avant de foncer vers la petite entrée et de tourner la clé dans la porte. Bonsoir Laurent !

— Salut ma grande ! Où est…

— Ici p'pa ! lance Théo. Manon ne m'a même pas laissé le temps de t'ouvrir… Tu verras, quand je ferai de l'aïkido, moi aussi je serai rapide comme l'éclair, dit-il en brandissant le doigt d'un air faussement menaçant.

Laurent éclate de rire et ébouriffe les cheveux de son fils.

— Salut fiston. Tu as l'air en pleine forme ! Bonsoir Estelle. Eh bien, on peut dire qu'il y a de l'ambiance, chez toi.

Estelle confirme avec un grand sourire.

— Salut Laurent.

— Désolé d'arriver aussi tard, mais j'ai l'impression que j'aurais pu attendre encore, ça ne les aurait pas dérangés…, dit Laurent en désignant les enfants.

— Oui ! Ils n'ont pas arrêté de la journée. Ils sont infatigables ! Et toi ? Comment vas-tu ? Ça fait longtemps qu'on ne s'est pas vus, non ?

Laurent hoche la tête.

— C'est vrai, ça fait un bail ! Eh bien… Tout baigne ! Tu as devant toi un homme heureux.

Estelle sourit.

— Que demande le peuple ? Tu as bien cinq minutes pour qu'on bavarde ?

Laurent acquiesce et s'installe sur le canapé, tandis que les enfants en profitent pour retourner jouer dans la chambre.

— Et toi, Estelle, ça va ?

— Je vais… plutôt bien. À vrai dire, j'ai été pas mal secouée ces temps-ci… J'ai traversé quelques moments difficiles, mais je commence à aller mieux.

— Ah…

Un peu gêné, Laurent regarde autour de lui et reprend :

— C'est sympa chez toi.

— Tu n'étais jamais venu ?

— Non, c'est la première fois. En tout cas, c'est vraiment sympa.

— Oui, approuve Estelle, très... Malheureusement, je ne suis pas sûre de pouvoir rester là encore longtemps.

— Ah oui ? Pourquoi ?

— Le propriétaire veut mettre l'immeuble en vente. Vu l'emplacement, tout près du métro, à deux pas des écoles, des commerces et du marché, il pourrait en tirer une belle somme.

— Oui, c'est sûr...

— Bon, tempère Estelle, pour l'instant c'est encore seulement un projet, je ne suis pas encore à la rue !

— Eh, il a l'air bien ton tapis de course, s'exclame Laurent, changeant de nouveau de sujet de conversation.

Estelle hoche vigoureusement la tête.

— Ah, ça oui, il est bien ! Il t'intéresse ? Moi, je n'en veux plus, je voudrais le vendre...

— Euh... moi non, mais un de mes collègues, peut-être. En tout cas, aux dernières nouvelles, il en cherchait un.

— Alors, surtout, fais-moi plaisir, donne-lui mon numéro de téléphone. Je tiens vraiment à m'en débarrasser.

— Pourquoi ?

— Oh, c'est une longue histoire... Disons que je ne veux plus être une fille parfaite, dit Estelle en riant franchement, aussitôt imitée par Laurent.

— Ah oui, je comprends ! Venant de toi, c'est tout un programme.

— Tu peux parler ! Dans le genre *winner* et bourreau de travail, tu te poses un peu là, non ?

— Eh bien justement, ça va peut-être te surprendre, mais, moi aussi, j'en ai eu marre d'être le type qui réussit sa vie professionnelle au détriment de tout le reste. Ma vie, mes proches et jusqu'à moi-même... Moi aussi, j'ai traversé une grosse crise et j'ai changé.

Estelle le regarde, ébahie.

— Ah ? Mais qu'est-il arrivé à monsieur Cadre dynamique ?

— Il a ouvert les yeux ! Je me suis rendu compte par la force des choses que je n'étais pas d'une compagnie très agréable et que j'avais oublié le principal.

— Quoi ?

— L'amour ! Ça peut paraître con, et même tarte à la crème, mais je me suis rendu compte que j'étais en train de passer à côté de la vie, de mon fils, surtout...

— Ouah, tu m'épates, Laurent ! Enfin, je veux dire, c'est super..., se rattrape Estelle.

— J'étais si imbuvable que ça ?

— Oh là là, pire encore ! dit Estelle avec un grand geste de la main. Mais visiblement, je ne t'apprends rien, ajoute-t-elle en voyant le sourire de Laurent. Non, je plaisante ! De toute façon, je suis mal placée pour juger, j'ai fait pareil. Moi aussi, j'étais du genre infréquentable. Tellement dure avec tout le monde, surtout avec ma propre fille, enfin tu connais la chanson... Je ne lui laissais rien passer. Il fallait sans cesse qu'elle fasse plus et mieux, encore et toujours mieux. C'était sans fin. Je lui demandais à elle ce que j'exigeais de moi. C'est fou, non ?

— Oui. Ça fiche un sacré coup au moral quand on se réveille, un beau matin, et qu'on pige toutes les conneries qu'on a pu faire…, reconnaît Laurent. Et les dégâts aussi, surtout les dégâts. Comment on abîme les autres, comment on les décourage et on les rabaisse…

— Heureusement, il n'est jamais trop tard pour se remettre en question et changer ! rebondit Estelle. Comment ça s'est passé pour toi ?

— Au début, un banal conflit avec un collègue… Il faut dire que je l'avais cherché. À force de me croire plus malin que les autres, je l'avais poussé à bout. Bref, un jour, en réunion, ça a pété. Un vrai clash. On a échangé des injures, puis on en est venus aux mains, comme des gamins. En public. C'était pitoyable. Je peux te dire que je n'en ai pas fermé l'œil de la nuit. Le lendemain, j'étais au bord de la crise de nerfs. Je voulais tout plaquer, puis je me suis rendu compte que ce serait la bêtise de ma vie. Alors je suis parti seul dans un monastère en Bourgogne, pendant une semaine, pour faire une retraite en silence.

— Un monastère ? Toi ?

— Eh oui ! Tu vois, tout peut arriver. J'avais besoin de faire le point. Un jour, là-bas, en rentrant d'une promenade, j'ai parlé avec le jardinier. Il m'a écouté posément, en me regardant dans les yeux avec beaucoup d'intensité, puis il m'a simplement proposé d'observer autour de moi et de contempler la beauté de la nature. Je ne sais pas exactement ce que ça m'a fait, mais je me suis senti chavirer. Il s'en est aperçu et m'a pris dans ses bras. Alors, j'ai chialé. Oui, moi. J'ai pleuré toutes les larmes de mon corps, en sanglotant comme un gosse. Il ne m'a pas lâché. Il m'a tenu contre lui tout le temps où j'ai pleuré. Jamais personne ne m'avait serré comme ça dans ses bras. Alors je me suis senti fondre et je me suis rendu compte que j'avais été un sale type. Un vrai connard.

Estelle fait une petite moue involontaire.

— Je t'assure. Je voulais écraser les autres, prendre l'ascendant, dominer, réussir, toujours réussir, et j'étais devenu destructeur. Je le lui ai dit. Tu ne peux pas savoir à quel point ça m'a soulagé. Pas seulement de le reconnaître, mais de le *dire à quelqu'un*. À ce moment-là, cet homme m'a regardé dans les yeux avec une douceur d'un autre monde et m'a dit « merci ». Je lui ai demandé pourquoi il me remerciait. Il m'a simplement répondu : « Pour ta confiance, tu m'as fait confiance, merci », puis il a posé sa main sur mon cœur et m'a salué discrètement. Depuis ce jour-là, je me sens léger. Je ne peux pas vraiment expliquer pourquoi, mais je me sens léger, comme libéré d'un poids. Je me suis rendu compte que Théo était ma priorité, avant toute autre chose. Depuis, je me sens heureux. Vachement heureux, même.

— Quelle histoire, c'est bouleversant..., laisse échapper Estelle.

Laurent lui adresse un franc sourire et s'apprête à parler avant d'être interrompu par Théo, qui débarque dans la pièce et pose sa tête sur son épaule.

— On y va, papa ?

— On y va bonhomme. Tu as tes affaires ?

— Quelles affaires ?

— Pour les vacances...

— Euh, non.

— Oh, et puis après tout, on s'en fout ! On se débrouillera très bien comme ça. Allez en piste ! Salut la compagnie et merci pour ton écoute, Estelle, ajoute Laurent en l'embrassant. Bye-bye, Manon. Si tu veux venir à la maison, tu es la bienvenue.

— Ouais, chouette, merci Laurent ! réplique Manon en sautant sur place. Salut Théo, à bientôt.

Une fois la porte refermée, Estelle songe aux confidences de Laurent et sourit. *C'est donc possible de vraiment changer. La preuve !* Elle regarde sa fille, la serre contre elle et l'embrasse avec chaleur.

— Qu'est-ce que tu as, maman ? Tes yeux brillent.

— Rien, ma biche, rien. Je t'aime, c'est tout. Je t'aime tellement.

Quelle est ma vraie priorité ?

## 28

Un vent glacé fouette le visage d'Estelle lorsqu'elle sort de la station Abbesses. Le froid humide de cette matinée de printemps a au moins le mérite de la sortir de sa torpeur, après cette nuit perturbée par le tambourinement de la pluie contre les vitres de sa chambre. C'est samedi et, exceptionnellement, elle a rendez-vous chez Dario pour rattraper le cours qu'il n'a pas pu lui dispenser le mardi précédent à la salle Pleyel. Grelottante, elle frotte ses mains l'une contre l'autre en se maudissant de ne pas avoir pris ses gants. *Des gants ? En mai ! Et puis quoi encore ?* Sur son portable, elle consulte le message de Dario, fait le tour de la place et rejoint la rue Yvonne-Le-Tac, qu'elle descend d'un pas pressé. Rapidement, elle retrouve ses marques dans ce quartier qu'elle a tant aimé lorsqu'elle y habitait, enfant, et qu'elle descendait jouer avec ses petites voisines. Rue Tardieu, la vitrine d'une boutique de produits bio attire son attention, mais elle n'a pas le temps de s'arrêter et soupire avant de presser de nouveau le pas pour s'engager rue Ronsard, entre le jardin pentu de la Butte, qui la faisait tant rêver autrefois, et la halle Saint-Pierre.

L'immeuble est situé un peu plus haut, laissant présager une vue imprenable sur les grands arbres du parc, en contrebas de la basilique du Sacré-Cœur. Estelle fouille dans son sac et consulte de nouveau son portable, compose le code sur le clavier et pousse la lourde porte cochère qui donne sur une entrée tapissée de carreaux de ciment aux motifs complexes, à l'élégance surannée, comme il ne doit en exister qu'à Paris. *Pff, tellement suranné qu'il n'y a pas d'ascenseur.* Elle grimpe rapidement l'escalier en bois qui sent bon la cire d'abeille et rejoint le troisième étage. La respiration haletante, elle sonne et entend des pas se rapprocher. Un instant après, la porte s'ouvre sur le visage radieux de Dario, qui l'accueille à bras ouverts.

— Bienvenue, *tesoro* ! Entre…

Estelle franchit le seuil et suit son hôte jusqu'au salon en ôtant son manteau.

— Voici mon humble demeure, reprend Dario, mon petit chez-moi. Tu vois, je ne suis pas à plaindre, je vis dans un jardin en plein Paris ! Les oiseaux sont mes voisins. Regarde ces fenêtres, elles donnent directement dans les arbres, comme si j'y avais construit une cabane !

— C'est magique…, laisse échapper Estelle, éberluée.

Le début du cours semble couler de source. Les étirements, l'échauffement corporel et les exercices de respiration détendent profondément Estelle, qui mesure à quel point elle en avait besoin.

— Tu étais stressée, je me trompe ? dit doucement Dario. Je suis comme toi, je n'aime pas que l'on bouscule mes habitudes. Si c'est moi qui le décide, tout va bien, mais quand on me l'impose, ça me chamboule. Toi aussi, n'est-ce pas ?

Prise au dépourvu par l'acuité de cette remarque, Estelle ne peut qu'approuver. Dans un même mouvement, elle prend conscience qu'elle se sent aussi coupable d'avoir encore laissé Manon à Béatrice. *Je la délaisse si souvent... Mais comment faire autrement ? J'ai besoin de vivre, moi aussi !* Le visage de Raphaël traverse son esprit. Elle aurait pu lui demander de venir garder sa fille. *Manon s'entend tellement bien avec lui... Et si, peut-être, un jour, nous décidions de...*

— Tu rêves ?

La voix de Dario la tire de ses pensées, et elle hoche la tête en souriant. Au milieu d'une série de vocalises, celui-ci l'interrompt.

— Tu es encore tendue, Estelle. Tu entends comme ta gorge est serrée ? Ta mâchoire est bloquée. Quelque chose résiste en toi... Tu as eu des soucis, ces derniers temps ? Des contrariétés ?

Un seul mot lui vient à l'esprit, ou plutôt un prénom : *Eulalie*. Elle n'est ni un souci ni même une contrariété, mais Estelle doit se rendre à l'évidence : l'apparition de cette sœur inconnue dans sa vie l'a chamboulée plus profondément qu'elle a bien voulu le reconnaître. Elle raconte son histoire à Dario, qui l'écoute sans l'interrompre, concentré sur ses paroles. Quand elle a fini, il lui pose une main sur l'épaule et attend quelques instants avant de lâcher un gentil petit rire.

— Eh bien, en effet, tu avais de quoi être tendue !

— Euh... oui. En fait, oui. Je ne m'en aperçois que maintenant, un peu comme si je sortais d'un long tunnel et que c'était la lumière, au bout, qui me faisait prendre conscience de l'obscurité dans laquelle j'avais été plongée jusque-là.

— Je crois que c'est le moment de faire une pause, dit Dario en souriant.

Estelle lui rend son sourire, reconnaissante.

— Tu sais, reprend le professeur, c'est souvent après coup qu'on prend conscience qu'on a traversé un moment difficile, qu'on comprend combien ça a pu être éprouvant pour nous. Quand on est dedans, on fait de notre mieux pour ne pas se laisser affecter. Mais après, ces expériences nous aident à mieux comprendre la vie, nous-mêmes ou nos proches. Les crises nous font grandir ! Après cela, nous vivons un temps d'accalmie, pendant lequel nous pouvons souffler un peu et profiter du quotidien… jusqu'à la prochaine crise. Certaines sont suffisamment légères pour passer inaperçues, d'autres nous secouent plus nettement et nous tourmentent davantage.

Dario se tait un long moment et leur sert de l'eau provenant d'une délicate carafe en cristal posée sur la table, qu'Estelle n'avait pas remarquée jusque-là.

— Ce qui est formidable avec le chant, reprend-il, c'est qu'il nous confronte à nos vraies limites. Nous sommes tout de suite informés de l'état réel de notre corps, de notre condition physique à un moment donné. Nous ne pouvons pas faire semblant : le corps ne ment pas… Allez, laissons les vocalises pour aujourd'hui. Chante-moi cette mélodie délicieusement langoureuse de Bellini que tu m'as apportée l'autre fois.

Dario se met au piano, place la partition que lui tend Estelle sur le pupitre devant lui et commence à jouer.

La voix d'Estelle s'élève dans l'espace. Sur les lèvres de son professeur se dessine un sourire de béatitude qui en dit long sur ses progrès.

— Arrête-toi un instant, l'interrompt-il tandis qu'elle attaque un passage plus aigu. Tu sens comme tu en fais trop, ici ? Pas besoin d'artifice, fais-toi confiance… Beaucoup de professeurs disent que la mâchoire du chanteur n'existe pas. Tu sais ce que ça signifie ? Que tu prononces uniquement avec la langue. Ça permet à la mâchoire de rester souple et complètement détendue tout le temps. Oui, c'est ça, laisse ta mâchoire descendre, laisse-la s'arrondir et se creuser. Cela t'aidera aussi à ouvrir l'arrière-gorge et à laisser le larynx tranquille, en position basse, comme lorsque tu chantes dans le grave.

Estelle reprend le passage délicat et constate qu'il devient beaucoup plus facile à chanter lorsqu'elle met en œuvre les conseils de Dario. Une fois la mélodie terminée, celui-ci propose à son élève de la chanter une nouvelle fois en « focalisant » plus la voix.

— Gaine ton souffle, cela t'aidera à chanter plus petit, comme un rayon laser qui partirait du bas du ventre pour sortir au-dessus de la tête. On parle aussi de « chanter dans le tuyau », et le tuyau en question n'est en fait guère plus gros qu'une paille !

La voix d'Estelle devient plus précise, plus sonore aussi, tout en semblant plus légère et plus aérienne.

— Magnifique ! Oui, c'est ça, continue ! Ouvre la cheminée tout là-haut, laisse sortir le son par le sommet du crâne…

Le cours terminé, Dario serre chaleureusement Estelle dans ses bras pour la féliciter. En sentant l'émotion de son professeur, elle mesure combien elle a dû progresser, et surtout se libérer, pour qu'il soit si content d'elle. Bouleversée à son tour, elle a presque la tête qui tourne, et c'est avec soulagement qu'elle retrouve la fraîcheur de la rue. De la même façon que pendant la marche dans le désert, elle a le sentiment d'avoir compris quelque chose d'important, par le corps, dans son corps, même si elle ne saurait dire de quoi il s'agit exactement.

Les talons battant le pavé de Montmartre, elle songe que rien ne sert de s'imposer quoi que ce soit et qu'il est tout aussi inutile de vouloir imposer ses vues ou ses volontés aux autres. Mieux vaut laisser faire le corps, le temps, le mouvement de la vie… *Ce n'est pas la peine de se forcer à trouver absolument des réponses ou des solutions, il suffit de découvrir ce qui se passe en soi dans chaque situation. La vie est tellement plus simple ainsi !*

J'accepte
de ne pas savoir.
Je fais confiance
à mes ressentis.

## 29

D'immenses nuages blancs traversent un ciel tout bleu en changeant malicieusement de forme au gré de leurs pérégrinations atmosphériques. *Un poisson ? Un cheval... un éléphant !*

— Attention, mademoiselle !

— Oups, pardon !

Estelle rougit et bredouille des excuses au serveur dont elle a failli renverser le plateau, qui, d'un sourire, lui indique que ce n'est rien.

D'humeur contemplative, fredonnant un air joyeux que Dario lui a fait découvrir, elle poursuit son chemin au milieu de la foule de la rue Montorgueil, ralentissant parfois l'allure pour s'approcher d'une vitrine ou admirer un détail architectural, savourant le plaisir simple de flâner. Perdue dans ses pensées, elle dépasse le numéro 34 et poursuit sa promenade jusqu'au croisement avec la rue Étienne-Marcel, avant de rebrousser chemin d'un pas allègre.

Élégant et accueillant, le spa est l'un des rares qui proposent du Watsu. Une hôtesse la conduit dans un petit salon attenant à l'entrée, qui fleure bon les huiles essentielles, et lui apporte une tisane agréablement parfumée. Est-ce l'arrivée tant attendue du beau temps ? Elle est la seule cliente et savoure le silence, prélude à un moment de bien-être rien qu'à elle, comme des mois plus tôt, au cours de cet étrange et déterminant séjour dans le Vercors. La voix de l'hôtesse la tire de son souvenir.

— Mademoiselle ? Suivez-moi, je vous accompagne aux vestiaires… Peut-être souhaitez-vous finir votre tisane ?

Avec un sourire, Estelle désigne sa tasse vide et suit la jeune femme le long d'un escalier qui les conduit au sous-sol, dans une belle salle voûtée en pierre de taille. Sur sa gauche, à travers une grande baie vitrée, elle aperçoit la piscine d'un bleu intense, nimbée d'une délicate lumière. L'hôtesse lui indique la cabine de douche et les vestiaires sur la droite. Là encore, une odeur naturelle d'huiles essentielles embaume délicieusement l'air ambiant. *Flora adorerait ! La prochaine fois, je l'emmène.*

Estelle pose son sac, se déshabille et passe sous la douche, modulant le jet chaud sur sa peau, qu'elle sèche sommairement avant d'enfiler un maillot de bain une-pièce et se diriger vers la piscine.

— Estelle ? dit la femme qui l'attend, également en tenue de bain. Je suis Madeleine, c'est moi qui vais vous masser aujourd'hui. Ne vous inquiétez pas, ajoute-t-elle en voyant la jeune femme frissonner, l'eau est chauffée à 38 °C pour que le corps ne se refroidisse pas pendant le massage. C'est la première fois ?

— Oui… Je connais le shiatsu mais on m'a dit que le Watsu était encore plus relaxant, alors…

La masseuse approuve.

— Ce sera une heure et demie de pure relaxation ! Le Watsu permet un mouvement fluide et continu, sans aucun point fixe, avec la sensation du corps qui flotte. Une véritable expérience sensorielle. Vous allez vite comprendre… Allongez-vous, fermez les yeux et, surtout, laissez-vous porter.

La musique de relaxation, qui semble émaner de chaque pierre, emplit l'espace, aussi bien aérien qu'aquatique, puisque Estelle l'entend parfaitement, même lorsque ses oreilles sont immergées. La masseuse déplace ou étire lentement son corps en apesanteur, tenant tour à tour un bras, une jambe, la nuque et une main, puis l'autre. Régulièrement, elle presse de ses doigts des points du corps, selon des lignes partant d'une extrémité pour rejoindre le centre.

Dans l'eau, Estelle se laisse flotter et porter, sans que son corps se raidisse, sans résister au bonheur de s'abandonner. C'est une sensation entièrement nouvelle pour elle, comme si elle n'avait encore jamais vécu ce détachement, cette confiance en la portance et la fluidité de l'onde, en son corps qui nage tout naturellement, sans qu'elle ait rien à faire ou à penser. *Est-ce que c'est cela, lâcher prise ?* La masseuse impulse délicatement des mouvements lents et ronds dans son corps maintenant parfaitement détendu, qui la font glisser dans un état de relaxation profonde, entre veille et sommeil. Des images aquatiques et lumineuses se succèdent très lentement dans son esprit, désormais vide de toute pensée. Envahie de douces sensations, elle s'enfonce dans un état second, proche du rêve, sans dormir pour autant. Une délicieuse forme de rêve éveillé…

Plus tard, bien plus tard, au terme de ce qui lui a semblé un lent voyage dans une autre dimension, elle entend une voix féminine, feutrée, lui indiquer qu'elle peut rouvrir les yeux.

— Prenez tout votre temps, murmure la praticienne.

Estelle cligne des paupières, qui laissent filtrer la lumière ouatée du bassin, et se remet tout doucement debout, comme si elle s'éveillait d'un songe long et merveilleux. Elle remercie la masseuse, qui lui conseille de rester encore un peu dans l'eau pour profiter de ses sensations et sort rejoindre les vestiaires.

Dans la piscine, Estelle contemple les mouvements de ses mains, aériens, ondoyants, et lorsqu'elle sort de l'eau à son tour, elle a la sensation de conserver cette grâce, cette légèreté inhabituelle. Son corps souple avance d'un pas délié, guidé par ses seules sensations, déconnecté de toute volonté, de toute pensée. Elle savoure cette fluidité qui semble l'avoir envahie de toute part et la porter encore, comme si elle continuait de flotter sur l'eau. Les rares paroles qu'a prononcées la praticienne de Watsu lui reviennent à l'esprit à la façon d'une ritournelle ; « aucun point fixe », surtout. Cette idée l'enchante, comme si elle avait fait l'expérience d'une extase qu'elle ne voulait plus quitter, qui resterait gravée pour toujours dans sa mémoire.

Estelle regagne le rez-de-chaussée. La clarté du jour l'éblouit un instant et elle accepte avec joie la tisane que lui propose de nouveau l'hôtesse, prolongeant encore un peu le plaisir de se sentir dans cette bulle. Puis elle prend congé à regret et pousse la porte du spa.

La main en visière, elle fouille son sac à la recherche de ses lunettes de soleil puis se ravise, comme si elle recherchait l'éblouissement qu'elle a ressenti quelques minutes plus tôt. Curieusement, l'air lui semble plus léger que de coutume, et les bruits des conversations, autour d'elle, lui font ressentir une connexion avec l'extérieur qui, loin de l'angoisser, lui apporte une joie inédite. Tout lui parvient directement, sans filtre, comme si elle s'était débarrassée de son habituelle carapace protectrice. Elle se sent en prise directe avec le réel, avec l'air, avec la lumière, avec le monde, avec les gens… Elle a aussi l'impression de se retrouver elle-même, à l'aise, heureuse.

Elle se sent exister, vaste, vivante, fendant l'air avec une légèreté insoupçonnée.

Je suis directement en contact avec le réel.

## 30

— Ah… Qu'est-ce qu'il fait bon au soleil !

— Tu l'as dit !

— Alors, ce nouveau boulot ? Tu commences quand ?

— Fin août. J'aurais pu démarrer tout de suite, mais j'ai besoin de vacances et, surtout, je veux prendre du temps avec Manon.

Béatrice hoche la tête et fait signe au serveur.

— Tu es contente ? reprend-elle lorsque celui-ci s'est éloigné avec leur commande.

— Oui, plus que ça même !

— Et ta démission, comment ça s'est passé ?

— Nickel ! Mon boss a été formidable, très compréhensif, et même sincèrement heureux pour moi. Sans compter que La Douce Fabrique reste chez Planète Verte, alors c'est un peu comme si je me contentais de changer de poste !

Béatrice éclate de rire.

— Décidément, entre ça et Raphaël, tu deviens une pro du changement dans la continuité !

Estelle rit à son tour.

— Avant je rompais, maintenant j'évolue ! Tu avoueras que c'est un progrès...

Le serveur pose les jus sur la table, et Béatrice fait tinter son verre contre celui d'Estelle.

— Au changement !

— À propos de changement, tu connais la nouvelle ?

— Tu te maries ?

— Ah ça jamais ! répond Estelle du tac au tac en riant. Non, j'ai juste vendu mon tapis de course.

— À qui ?

— À un collègue de Laurent, l'ex de Flora, tu sais ? Il veut préparer le marathon de Paris, mais en restant chez lui, pour ne pas trop délaisser sa femme. Enfin c'est ce qu'il dit. Quand je l'ai vu débarquer chez moi, très organisé et tellement sûr de lui, comme s'il gérait tout à la perfection, j'ai eu l'impression de me revoir il y a quelques mois... ajoute-t-elle songeuse. Enfin bref, pour fêter ça, je vous emmène au restaurant.

— Génial ! répond Béatrice visiblement ravie. Quand tu dis « nous », tu penses à qui ?

— Manon, Raf, toi et moi.

— Ah, encore mieux ! J'ai hâte de revoir ton prince charmant.

— Prince charmant ? N'exagérons rien !

— Il est plutôt pas mal, non ? Et vu la manière dont elle parle de lui, je suis sûre que Manon approuverait !

— C'est sûr, elle est sa première fan, et encore plus depuis qu'il lui a suggéré de faire de l'aïkido !

Surprise, Béatrice observe Estelle mimer la gestuelle ample et souple de sa fille, et écoute les notes claires de son rire.

— Dis donc, tu as l'air en superforme ! C'est quoi ton secret ? Pas seulement la vente de ton tapis. L'amour, peut-être ?

— Sûrement ! Et…, commence-t-elle en glissant une main dans son sac. Tu sais, le Watsu… Eh bien, ça m'a transformée ! Je ne sais pas comment décrire ça, mais c'est une expérience unique. Je me sens formidablement bien depuis. Détendue, légère, confiante, comme si j'avais pris beaucoup de distance… C'est difficile à expliquer. En fait, la meilleure façon de comprendre ce qui se passe en toi, c'est de le vivre. Alors, tiens, dit-elle en lui tendant une enveloppe bleu turquoise.

— Quèsaco ?

— Rien… Juste un laissez-passer ! Tu verras. Il suffit de prendre un maillot de bain, de te rendre à l'adresse indiquée et de te laisser guider.

— Oh là là, que de mystères, je frémis ! Trêve de plaisanterie, je… je te… remercie, bégaie Béatrice, surprise par sa propre émotion.

— Je t'en prie, ça me fait plaisir. Je ne sais pas ce que je serais devenue sans toi. J'étais sur une mauvaise pente quand je t'ai rencontrée.

— Tu… tu es adorable, v… vraiment.

— Qu'est-ce qui t'arrive, ma Béa ?

— R… rien, je suis émue. Quand j'étais môme, je bégayais, puis à force de persévérance et de pratique, j'ai réussi à m'en libérer. Ça revient parfois, quand je me sens très émue… comme maintenant. Tu sais, moi aussi, je me sentais un peu seule avant de vous rencontrer. Il arrive que la vie fasse bien les choses.

— Oui, c'est vrai. En tout cas, grâce à toi, je vais beaucoup mieux. Avant, j'étais si anxieuse que je passais mon temps à tout contrôler. Mais je sentais bien que, derrière mon angoisse, il y avait un truc qui me paralysait, qui parasitait tout le reste. Je doutais en permanence. Et puis Eulalie a débarqué dans ma vie, et j'ai compris un tas de choses, pas forcément agréables, mais qui m'ont fait du bien. À commencer par le fait que je n'existais pas pour mes parents. Ils étaient présents physiquement, enfin plus ou moins, mais émotionnellement, il n'y avait personne. Ils n'étaient pas en relation avec moi. Entre nous, il n'y avait pas de paroles, pas de soutien, pas d'encouragement. Jamais aucun réconfort. En fait, j'ai manqué de repères fondamentaux pour exister. J'ai dû me débrouiller toute seule pour grandir. C'est pour ça que je me sens... que je me sentais parfois si fragile.

— Comme je te comprends...

— Alors, ces derniers jours, j'ai bien réfléchi. Tu te rappelles notre discussion sur l'immeuble ? Tu te demandais ce que tu ferais si l'immeuble était vendu...

Béatrice se rembrunit.

— Désolée de gâcher ta joie, ma belle, on passe un si bon moment que j'avais presque réussi à ne plus y penser mais... tu peux oublier le conditionnel : il est vendu, notre petit chez-nous. J'ai même reçu la lettre d'expulsion ce matin...

— Quoi ? Déjà ? Non !

Béatrice hausse les épaules.

— Oh, tu sais, un emplacement pareil, en plein Montreuil... Quand j'étais jeune, c'était complètement prolo, mais aujourd'hui, ça vaut de l'or. Avec ma petite retraite, je vais pouvoir me brosser pour trouver dans le coin, ou alors en foyer...

— Eh bien… raison de plus pour te faire ma proposition, réplique Estelle, partagée entre la surprise, le chagrin et une soudaine révolte. Tu viens habiter avec nous ! On trouvera bien quelque chose pour pouvoir vivre tous ensemble, même si on doit s'éloigner de Paris.

Béatrice la regarde, époustouflée. Elle ouvre la bouche, mais aucun son n'en sort.

— Ça va, Béa ? demande timidement Estelle après quelques longues secondes.

— Si ça va ? Oui, bien sûr, je… Excuse-moi, je suis toute chamboulée, dit Béatrice en essuyant une larme… En fait, ça me chavire ! Ce serait tellement chouette… Ça me sortirait d'un sacré pétrin… Mais tu es sûre de toi ? Je ne vais pas être un poids pour vous ?

— Un poids, toi ? Tu plaisantes ? Tu es une plume, ma Béa, aussi légère qu'un oiseau en plein vol. Tu vas égayer nos journées comme un pinson. Manon sera aux anges, tu imagines !

— Tu es un amour. Moi aussi, je suis aux anges. Je me sens rajeunir tout à coup, comme si je redevenais la gamine d'autrefois…

— Et puis ce sera plus marrant de chercher ensemble !

Béatrice se lève et étreint Estelle.

— « Je suis parce que nous sommes », murmure-t-elle à son oreille. C'est toi qui me l'as appris, non ? Alors il est grand temps que je mette ça en pratique.

— Tu as raison, oui…

— Bon, allez, rentrons, lance Estelle, joviale, en réglant la note. Pour une fois, c'est moi qui vais te concocter un bon petit repas. Tu vas voir, on va passer une belle soirée…

— Après cette journée, je n'en doute pas !

Je réalise
mes souhaits.

# ÉTÉ

## 31

— Ouah, c'était incroyable !

— …

— Je crois que je n'avais encore jamais eu un orgasme pareil…

— …

— Raf ? Tu dors ? Raf !

— Non, non, je t'écoute. Je suis content… C'est vrai que c'était dément !

— Ohhh que oui !

— Tellement torride qu'on a fini par terre. Tu ne t'es pas fait mal ?

— Ça va. En fait, tu as amorti ma chute en tombant le premier !

Raphaël rit, se recroqueville contre Estelle et pose sa tête sur son ventre. Elle lui caresse les cheveux tandis qu'il tourne la tête vers elle avec un sourire espiègle :

— Cela valait le coup d'attendre, non ?

— Oh, mais tu me cherches, toi ! réplique Estelle en lui donnant un coup de poing dans l'épaule.

— Aïe ! Tu vas voir…, lance Raphaël en se redressant.

— Stop ! Pause. On fait une trêve, j'ai besoin de souffler…

— C'est bien parce que c'est toi…

Ils restent silencieux un moment, puis Estelle reprend, sur un ton plus posé :

— Tu sais, l'autre fois, quand je suis venue chez toi…, dit-elle en traçant des sillons du bout des doigts dans les cheveux de Raphaël, qui hoche imperceptiblement la tête… Cette nuit qu'on a passée ensemble, lovés l'un contre l'autre, à se caresser doucement, tout simplement, comme pour mieux se connaître, pour s'apprivoiser… Tu te rappelles ?

— Si je me rappelle ? Comment veux-tu que j'oublie le soir de nos retrouvailles !

Estelle lâche un petit rire cristallin.

— Bien sûr. Ce que je voulais dire, c'est qu'on a bien fait de prendre le temps de se retrouver comme ça, en douceur. Et de ne pas foncer tête baissée comme…

— Comme la première fois ? complète Raphaël avec un sourire. C'est vrai, la précipitation, même passionnée, on a vu ce que ça donnait entre nous…

— La passion, ce n'est peut-être pas pour nous ? En tout cas, maintenant, je préfère que ce soit différent. Qu'on prenne tout notre temps.

— Je suis bien d'accord, dit Raphaël en se dégageant tendrement des bras d'Estelle pour se lever. Tu n'as pas soif ? Moi je donnerais n'importe quoi pour un verre d'eau !

Estelle approuve, tandis que Raphaël s'étire et se dirige vers la cuisine en sifflotant.

— Tu entends les oiseaux ? dit-il en revenant, leurs verres à la main.

— C'est merveilleux ! répond Estelle en se levant à son tour. On dirait qu'ils sont dans la pièce.

Elle rejoint Raphaël sur le lit et effleure sa peau du bout des doigts.

— Tu sais, tu vas peut-être trouver ça un peu fou mais… j'ai proposé à Béa de venir s'installer avec Manon et moi dans notre appartement. Enfin dans le prochain, dès qu'on aura trouvé la perle rare.

— C'est vrai ?

— Bien sûr que c'est vrai. Ça t'étonne ?

— Non, pas vraiment… pas du tout, même ! En fait, vous formez une vraie petite famille, toutes les trois.

Estelle approuve, radieuse.

— C'est exactement ce que je me suis dit quand je lui ai proposé… Pour Manon, c'est la grand-mère rêvée, celle qu'elle n'a jamais eue. Et pour moi… eh bien, rien ne pourrait me rendre plus heureuse que la voir tous les jours !

Raphaël regarde Estelle avec intensité puis baisse les yeux vers le lit défait.

— Moi aussi, ça me rendrait très heureux, murmure-t-il avec une timidité qui ne lui ressemble pas.

— De quoi ?

— D'être avec vous tous les jours…

Estelle ouvre de grands yeux.

— Sérieux ?

— Bien sûr, dit-il d'une voix plus affirmée en la regardant de nouveau dans les yeux.

— Eh bien…, soupire Estelle. Si je m'attendais…

— Quoi ? Tu trouves que je m'impose ? demande Raf, soudain inquiet. Tu vas me jeter ?

Estelle éclate de rire.

— Oh mais, qu'est-ce que tu vas inventer là ! Moi, te larguer ? Jamais ! Cette Estelle-là n'existe pas… enfin plus. Et je peux t'assurer qu'elle ne me manque pas !

— Ouf ! rit Raphaël à son tour, soulagé. À moi non plus ! Je préfère largement l'Estelle d'aujourd'hui. Alors quoi ? C'est trop tôt pour toi ?

— Non, pas spécialement. C'est juste que je n'y avais pas pensé, mais je dois dire que maintenant que tu le proposes, l'idée me plaît bien aussi !

— Si je laisse mon appart de la rue de Vaugirard et que je viens m'installer avec vous, on pourra prendre quelque chose de plus grand, et ce sera mieux pour tout le monde. Béa pourrait même avoir son coin à elle, avec sa propre salle de bains.

— Excellent argument ! Tu sais, sous ses dehors hippies, c'est une vraie pudique.

— Alors ça veut dire que tu es partante ?

— Pourquoi pas… mais que les choses soient claires : ça ne change rien entre nous, ce n'est pas parce qu'on vivra ensemble qu'on devra se marier ou je ne sais quoi.

— Je crois que j'ai saisi le message ! dit Raphaël en riant. Moi non plus, je ne tiens pas plus que ça à officialiser, d'ailleurs. L'essentiel, c'est d'être ensemble, non ?

— Oui, exactement.

— Alors… ?

— Tope là ! dit Estelle en lui tapant dans la main.

Raphaël en profite pour la prendre par la taille et la faire rouler sur le lit en la couvrant de baisers.

## 32

— Déjà fin juin, vous vous rendez compte ?

Béatrice croque dans une cerise et hoche la tête.

— Mmm… eh bien… oui ! Si j'en crois le goût de cette petite merveille, on est bel et bien en été !

— Ce sont les toutes premières ! précise Flora. Théo les a cueillies spécialement pour vous ce matin.

— Comme le temps passe vite, dit Estelle en regardant Albertine, qui dort paisiblement dans son couffin, ignorant les cris de joie que poussent Manon et Théo en improvisant des figures acrobatiques un peu plus loin.

— Je ne te le fais pas dire ! Tu as vu comme elle est grande ? Elle va déjà avoir trois mois, et pour moi, c'est comme si elle était née hier.

— Ah la maternité ! Tu es plus *florissante* que jamais, lui lance son amie avec un grand sourire. Où est passée notre petite Flora discrète et effacée ?

— Tu peux parler, toi ! réplique cette dernière. Depuis que tu connais Béa et que tu t'es mise au chant, on ne te reconnaît plus ! Tu fais même des jeux de mots.

— C'est tellement vrai, renchérit Béatrice. Ça fait plaisir de te voir aussi épanouie… Quant à moi, les filles, votre amitié me comble. J'ai l'impression de vivre un nouveau printemps ! Au fait, Estelle, tu lui as dit ?

— Dit quoi ? demande Flo d'un air faussement inquiet. Béa va t'adopter ?

Les trois femmes éclatent de rire. Estelle prend une gorgée de thé glacé et explique :

— Presque ! En fait, Béa va venir habiter avec nous. Si tu entends parler d'un grand quatre-pièces, ou cinq, même…

— Quatre pièces ? Cinq ? Mais vous allez vivre à combien là-dedans ?

Estelle hésite un instant puis se lance gaiement :

— Eh bien… Avec Manon, Raf et moi, ça fera quatre. Et comme on voudrait que chacun ait son intimité, on s'est dit qu'il fallait de l'espace…

— Raf ? s'écrient Flora et Béatrice à l'unisson.

Estelle rit et fait mine de trinquer avec ses amies.

— Eh oui, tralala, vous m'avez bien entendue !

— C'est trop beau, s'extasie Flora en cognant son verre contre le sien, une vraie communauté. Quel projet !

Béatrice trinque à son tour, l'air un peu gêné.

— C'est merveilleux, Estelle mais… tu es vraiment certaine que je ne dérangerai pas ?

— Taratata ! Déranger, toi ? Tu plaisantes ? Et puis non seulement Raf est au courant que tu vivras avec nous, mais en plus il est enchanté. C'est même lui qui a insisté pour qu'on cherche un lieu où tu puisses avoir ton propre espace, avec ta salle de bains.

— Oh, souffle Béa, tu vas encore me faire bégayer.

— Bon, allez, lance Flora, ça se fête, j'appelle Pascal et on ouvre le champagne !

Estelle pose la main sur son bras.

— On ferait peut-être mieux d'attendre d'avoir trouvé l'appart avant de fêter ça, non ?

— Oh oh… mais ce ne serait pas l'ancienne Estelle, ça ? plaisante Flora en brandissant son index sous le nez de son amie. Celle qui a peur de mal faire et qui a besoin que tout soit sous contrôle ?

— Bon, si tu le dis…, reconnaît Estelle en souriant, avec un léger haussement d'épaules. On ne peut pas se changer de fond en comble ! Ce n'est pas parce que je vais mieux que je ne suis plus la même.

— Tu pourrais aussi dire l'inverse, fait observer Béa. Ce n'est pas parce que tu restes toi-même que tu ne peux pas aller mieux !

— Tiens, rebondit Flora en claquant des doigts. J'allais oublier : samedi prochain, je vais à un atelier de sophrologie animé par l'association Cubico, à Conflans-Sainte-Honorine. Tu aimerais venir avec moi ? Si tu veux, je t'y emmène et Pascal garde les enfants.

— Euh… oui, pourquoi pas ? Combien de temps ça dure ?

— Juste l'après-midi. Sur le thème du lâcher-prise, dit Flora avec un clin d'œil. Il y aura trois heures de relaxation et de visualisation, puis une heure d'échanges entre participants. Ça te tente ?

— On dirait que c'est fait pour moi !

— Génial ! Béa, tu veux venir ?

— Désolée les filles, mais je ne peux pas. Je serai de permanence à Lutopie.

— Une autre fois, alors.

Les trois amies se taisent un moment, profitant de la chaleur du soleil sur leur peau. Flora rajuste le chapeau sur la tête de sa fille, qui gigote doucement et s'éveille en entendant la voix de Théo, qui approche, suivi de Manon.

— Quand est-ce qu'on goûte ?

Flora prend Albertine dans ses bras.

— Maintenant, si vous voulez. Tout est prêt sur la table de la cuisine. Vous vous débrouillez tout seuls, comme des grands ?

— Dacodac, mam, répond Théo en faisant claquer les sons.

Flora suit des yeux les enfants, qui entrent dans la maison d'un pas léger, et se tourne vers Estelle et Béa. Cette dernière lui adresse un grand sourire.

— Qu'est-ce qu'ils ont l'air épanouis. J'aurais adoré les avoir comme élèves !

Flora acquiesce.

— À propos, vous saviez que, dans les écoles de Norvège, les enseignants n'écrivent que des appréciations positives sur les bulletins des élèves ? C'est une manière de valoriser les qualités et les progrès de chaque enfant. Pascal y est allé en voyage d'étude au printemps, et d'après lui, ça marche !

— Ce serait bien que cette superbe idée arrive rapidement en France…, grommelle Estelle.

— En tout cas, Pascal s'y est mis à 100 %. Il le faisait déjà intuitivement avant, mais il dit que depuis qu'il l'a systématisé, ses élèves ont nettement plus confiance en eux. Apparemment, pour certains, les progrès sont même spectaculaires.

Béatrice hoche la tête.

— Pourvu que l'Éducation nationale le suive ! Pendant des années, je l'ai fait en m'inspirant des pédagogies

Montessori et Freinet, mais ça restait confidentiel. Alors, oui, j'espère que ça se répandra comme une traînée de poudre, dans toutes les écoles, de la maternelle à l'université ! Bien…, ajoute Béatrice en se levant. Sur ces bonnes paroles, je vais aller marcher un peu. J'ai besoin de bouger. Mon homéopathe me recommande de marcher tous les jours au moins une demi-heure, histoire de ne pas m'encroûter. À mon âge, c'est vital !

— Excellente idée, dit Estelle en se levant à son tour, je viens avec toi. Moi aussi j'ai besoin de mouvement !

Flora sort un biberon du sac à langer et le tend à Albertine, qui pousse des petits cris joyeux en l'attrapant des deux mains.

— Une demi-heure, c'est parfait, ça me laisse juste le temps de donner son goûter à cette petite gloutonne et de préparer le champagne et les fraises…

— Les fraises ? demande Estelle. Alors oublie ce que je t'ai dit tout à l'heure. Il est grand temps de fêter ça !

Je suis
en mouvement.

## 33

Pour le premier dimanche des grandes vacances, Manon a organisé un pique-nique dans le bois de Vincennes, avec quelques camarades. Estelle regarde les enfants et sent enfler dans sa poitrine un sentiment de fierté à l'égard de sa fille, dont le caractère bien trempé et doux à la fois l'aide à s'ouvrir au monde, la pousse à aller de l'avant. *Elle a tellement grandi... Dire qu'on a vécu si longtemps repliées sur nous-mêmes, à cause de moi. Heureusement, elle a bien plus d'amis que moi à son âge... et même maintenant !*

— Ça va ma grande ? Tu m'as l'air songeuse. Tu me fais une petite place ?

Estelle se pousse un peu pour laisser Béatrice s'installer près d'elle sur le grand coupon de tissu africain qui leur a servi de nappe un peu plus tôt. Il ne reste plus une miette du festin préparé par les deux femmes la veille, que les enfants ont littéralement dévoré. Béatrice s'étire à l'ombre du grand chêne.

— Alors, cet atelier de sophrologie à Conflans, c'était comment ?

— Formidable ! Un moment de convivialité merveilleux, avec des gens bienveillants et attentifs, qui t'accueillent sans chichis, en douceur, tout simplement. Flora aussi a adoré… D'ailleurs toi aussi, tu aurais adoré ! La prochaine fois, tu viens avec nous.

— Promis ! Allez raconte, qu'est-ce que vous avez fait ?

— Eh bien, on a commencé par un exercice d'éveil des cinq sens, puis on a exploré les possibilités du cerveau, en jouant avec les deux hémisphères, gauche et droit. Ensuite, on a profité d'une longue relaxation, qui m'a fait voyager loin, très loin, même, puis une méditation des cinq éléments, que Flora connaissait déjà.

— Tout ça d'une traite ? Vous deviez planer complètement !

— Non ! Entre deux exercices, on échangeait nos impressions. Ça permet de redescendre un peu tout en gardant le fil et en restant connecté aux autres. D'ailleurs, à la fin, chacun a dessiné un mandala tout en couleurs, pour exprimer son voyage de façon brute, directe, sans intellectualiser, et l'a présenté aux autres. À ce moment-là, j'ai eu un flash. J'ai senti que je pouvais me laisser porter par l'eau de la rivière, par la vie, en fait… Puis j'ai compris que j'étais la rivière, la vie. *Je suis la vie !* Tu te rends compte ?

— Ce sont des moments rares, tu sais. Maintenant que tu les as vécus, ils vont t'accompagner au quotidien. Je suis sûre que tu ressens déjà leur effet !

Estelle hoche la tête.

— Oui… au fait, tu connais un bouquin qui s'appelle *Dialogues avec l'ange* ? Les animatrices nous en ont parlé et je me disais que ça te dirait peut-être quelque chose…

— Ah oui ? Ça alors !

— Tu connais ?

— Si je connais ? C'est un de mes livres de chevet !

— Quelle coïncidence ! J'ai tout de suite pensé à toi…

Béatrice s'allonge, puis ferme un instant les yeux avant de les rouvrir et de laisser son regard se perdre dans le feuillage abondant du grand chêne.

— Ça ne me rajeunit pas… Ça remonte à l'époque où mon mari est parti. J'étais au fond du trou, mais ça tu le sais déjà… Une de mes amies, Violaine, qui a créé Lutopie un peu plus tard avec nous…

— Violaine, Violaine ?

— Ah oui, c'est vrai, tu la connais ! Oui, cette Violaine-là, celle que tu as rencontrée pour la journée des femmes. Eh bien, à cette époque, Violaine était la costumière de Juliette Binoche dans un film qu'elle était en train de tourner. *Les Amants du Pont-Neuf*, je crois… Bref, Juliette Binoche lisait les *Dialogues avec l'ange* et lui en a parlé. Violaine adorait Juliette, elles étaient très proches. Donc, sur ses conseils, elle s'est procuré le livre. Elle a été bouleversée par sa lecture et me l'a offert, en me disant qu'il m'aiderait. Je l'ai remerciée sans grande conviction : moi, profondément laïque et athée, en tout cas agnostique, je trouvais cette histoire d'ange complètement irrationnelle et plutôt fleur bleue. Et… j'ai vite compris que je me trompais sur toute la ligne ! Je suis entrée dans les *Dialogues* avec une passion qui m'a sauvé la mise. Depuis, j'aime relire certains passages au hasard, un peu chaque jour. Je suis sûre que ça va te plaire.

Pas forcément du premier coup. Au début, on n'a qu'une envie, c'est refermer ce bouquin complètement barjot et ne plus l'ouvrir, mais après, c'est comme une rencontre, puissante, profonde, étincelante.

— Eh bien ! Moi qui avais peur que tu me prennes pour une folle, tu as achevé de me convaincre !

Béatrice éclate de rire.

— Moi, te prendre pour une folle ? Ce serait l'hôpital qui se fout de la charité ! Et puis j'aime trop l'humain pour juger, et encore plus pour rejeter... Les originaux m'attirent et...

— Salut les filles ! lance Raphaël, essoufflé. Désolé d'être un peu en retard, je... Oh, on dirait que je vous interromps... Vous avez l'air en grande conversation.

Les deux femmes se redressent tandis que le jeune homme se baisse pour les serrer tour à tour dans ses bras.

— Vous parliez de quoi ?

— Des *Dialogues avec l'ange*, explique Estelle. Je passerai à la librairie tout à l'heure.

— Pas la peine, je l'ai à la maison. D'ailleurs, il serait temps que je m'y attaque enfin !

— « Enfin » ? s'enquiert Estelle, de plus en plus étonnée.

Raphaël garde un instant le silence.

— Eh bien, reprend-il d'une voix douce, quand mes parents sont morts, j'ai lu *La Source noire*, de Patrice Van Eersel. J'avais besoin de me familiariser avec la mort, d'en savoir plus sur les recherches et de lire les témoignages de ceux qui l'ont approchée de très près. J'ai été passionné, bouleversé, complètement transformé par cette lecture. Alors, quand j'ai appris qu'il avait aussi écrit *La Source blanche*, qui raconte l'histoire des *Dialogues avec l'ange*, j'ai voulu en savoir plus... Puis le temps a passé et j'ai laissé de côté les *Dialogues*, tout en me disant régulièrement que j'allais les lire...

— On a besoin d'être prêt pour entrer là-dedans, c'est sûr, approuve Béa.

— Certainement... sinon... Désolé de changer de sujet, mais j'ai une bonne nouvelle pour nous ! jubile Raphaël.

— Pour *nous* ? demande Estelle, curieuse.

Raphaël hoche la tête avec un sourire malicieux.

— Allez, insiste Estelle en lui donnant une petite tape sur l'épaule, ne nous fais pas languir !

— Je viens d'aller visiter une maison à Vincennes ! Des voisins de Louis et Antoine, qui partent s'installer en Bretagne pour leur retraite. Louis m'a appelé ce matin dès qu'il l'a su, en leur demandant de me faire visiter en priorité.

— Oh ? Génial ! s'extasie Estelle.

— Alors ? demande Béa. Tu l'as déjà visitée ?

— Pourquoi crois-tu que j'étais en retard ? Bien sûr que je l'ai visitée ! Et je peux même vous dire qu'elle est formidable, avec une terrasse devant et même un petit jardin à l'arrière. Bien sûr, on devra tout repeindre, mais elle est en bon état...

— Et les pièces ? Comment sont les pièces ? s'enthousiasme Estelle.

Raphaël sort un petit papier sur lequel il a griffonné un plan, tandis que les deux femmes se penchent sur son épaule.

— Eh bien au rez-de-chaussée, un petit vestibule donne sur un couloir. Le salon est sur la droite, puis une chambre avec son cabinet de toilette donne sur le jardin. À gauche de l'entrée, c'est la salle à manger, avec la cuisine et les toilettes au fond du couloir. À l'étage il y a deux chambres, une salle de bains et un dressing. La maison est très agréable et le quartier supracalme.

Estelle bondit sur place comme une gamine.

— Génial ! On peut visiter quand ?

— Quand vous voulez… Ils sont très gentils. Louis a été tellement persuasif qu'ils nous attendent avant de faire d'autres visites.

— Tu crois qu'on peut y aller en rentrant ?

— Pourquoi pas ? Je les appelle tout de suite, dit Raphaël en sortant son téléphone de sa poche.

— Tu es un ange, s'exclame Estelle en lui adressant un clin d'œil accompagné d'un gros baiser.

Je suis la rivière,
je suis la vie.

## 34

— C'est notre dernier cours avant les vacances...

— Déjà ? s'exclame Estelle. Tu pars ? En Italie, j'imagine...

Dario hoche la tête en souriant.

— *Sí, certo !* D'abord à Florence, en famille, puis au bord du lac de Garde, pour un long repos bien mérité. Mais avant ça, je vais passer quelques jours à Lisbonne, chez des amis... D'ailleurs, je pars demain et je n'ai pas encore bouclé mes bagages, alors *andiamo, tesoro*... au boulot !

Estelle se hâte de déposer ses affaires et commence l'échauffement, qui s'achève par quelques instants de relaxation. Puis Dario lui propose un exercice de respiration destiné à l'aider à inspirer en laissant entrer l'air jusqu'en bas du dos.

— Laisse ton corps se détendre. Imagine qu'il est tout mou autour du souffle. Ton corps épouse l'air, il s'ajuste à l'air, et pas l'inverse, comme on le croit trop souvent... Voilà, très bien !

Pendant les vocalises, Dario invite Estelle à laisser son diaphragme accompagner la voix, tout le temps, dans un geste continu.

— La ligne du chant, le *legato*, c'est ce qu'il y a de plus difficile, pour tous les chanteurs. Tu souffles continuellement, comme dans une petite paille. Allez, chante-moi cet air de Scarlatti que tu m'as apporté l'autre fois.

Estelle sort une partition de son sac et la pose sur le pupitre. Dario s'installe au piano pour l'accompagner et la laisse chanter jusqu'au bout du morceau.

— Bien, très bien, tu as progressé. Et toi, qu'est-ce que tu en dis ?

— Je me suis sentie plus à l'aise, confirme Estelle. J'ai… je ne sais pas, j'ai l'impression d'avoir réussi à exprimer plus d'émotion. Non ?

— C'est vrai, mais tu as encore voulu contrôler, comme tu le faisais au début, en chantant avec tes lèvres dirigées vers l'avant… Dans une moindre mesure, bien sûr ! précise Dario devant l'air dépité de son élève, mais un peu tout de même. Le contrôle se voit tout de suite dans le corps… Laisse tes lèvres tranquilles et la mâchoire aussi, par la même occasion. Chante derrière, on pourrait même dire *à l'arrière*, dans le voile du palais, dans la boîte crânienne, comme si tu tirais un ruban élastique vers le haut et l'arrière de la tête. (Il fait le geste en même temps.) Laisse la voix libre, sur le souffle, uniquement sur le souffle !

Estelle recommence. Dario l'arrête rapidement en souriant.

— Non, regarde-toi, dit-il en désignant le miroir à côté du piano, tu verras les grimaces que tu fais avec tes lèvres…

Estelle se tourne et essaie à nouveau.

— C'est mieux, mais tu peux être encore plus naturelle. Sois la plus naturelle possible ! Maintenant, avec la mâchoire toujours très souple et relâchée, tu vas chanter en posant un doigt sur tes lèvres, juste pour les laisser tranquilles.

Estelle s'exécute et Dario applaudit.

— Cette fois, tu y es ! Tu entends comme ta voix est libre ? Elle résonne tout naturellement.

— C'est vrai, j'ai l'impression qu'elle plane devant moi et même au-dessus de moi.

— C'est tout à fait ça ! Quand on chante bien, on ne sait plus d'où vient la voix. Écoute un peu Kiri Te Kanawa, elle chante exactement comme ça, naturellement, facilement, sans craindre d'exprimer ses émotions, en plus…

Estelle écoute attentivement, en ponctuant les propos de Dario d'un léger signe de tête.

— Tu sais, reprend-il, l'artiste est forcément vulnérable, sinon il n'exprimerait rien ou pas grand-chose, seulement des platitudes. Alors, pars de là, de ce qu'il y a de plus fragile en toi. Après, tu pourras aussi écouter ton intuition, suivre ton guide intérieur, mais d'abord accueille ta fragilité, ose-la. Sois généreuse avec nous. Livre-toi !

À ces mots, Estelle sursaute puis se rembrunit un instant, songeuse.

— Fragilité ? demande-t-elle inquiète.

— Oui, nous sommes tous fragiles, mais notre vulnérabilité est aussi notre bien le plus précieux, la source de notre inspiration, répond Dario très sérieusement. Ça va ? Tu veux qu'on arrête ?

Estelle secoue négativement la tête.

— Au contraire, je veux continuer. Continuer à avancer… Assumer ma fragilité. Je suis en train de comprendre que jusqu'à présent, j'ai tout fait pour m'en protéger, pour l'éviter surtout. Je voulais la cacher, l'oublier, l'éloigner de moi le plus possible. C'est peut-être pour cela que je me suis durcie…

— Certainement, approuve Dario très doucement. Alors je te propose de poursuivre le chemin inverse et de retrouver ta fragilité. Tu te sentiras extraordinairement plus vivante, tu verras, et tellement plus heureuse, je te le promets.

Estelle porte la main à son front, les yeux fermés, sans rien dire.

— Je viens de comprendre quelque chose, articule-t-elle avec lenteur. Enfin.

Sans rien dire, Dario indique qu'il l'écoute d'un signe de tête.

— Pour moi, ressentir une émotion, accueillir mes émotions voulait forcément dire perdre pied. Être débordée. Voilà. J'avais peur d'être débordée. Je me disais que les émotions étaient dangereuses, que si elles n'étaient pas contenues, étouffées même, elles me mèneraient trop loin, vers la folie ou vers la mort. Alors, je contrôlais tout, pour ne pas me sentir débordée. Surtout pas.

— « Gérer ses émotions », comme on le dit si souvent, plutôt que les accueillir et les vivre…, suggère Dario.

— Exactement, se débrouiller pour les évacuer le plus vite possible, sans les ressentir vraiment, sans les exprimer trop, puis mettre un mouchoir dessus et passer aussitôt à autre chose, comme si elles n'avaient jamais existé !

— Tu as tout compris, Estelle. C'est capital, tu t'en rendras compte petit à petit… Modestement, je pense que le chant n'y est pas pour rien. Tu mesures les progrès que tu as faits en seulement un an ?

Estelle s'approche et prend les mains de Dario en souriant.

— Je ne vous remercierai jamais assez, Béa et toi. Depuis que j'ai commencé, je me sens mieux dans ma peau, dans mon corps, je me fais confiance… Je me lâche ! Et dans ces moments, quand je lâche prise, je sens que j'entre dans le flux de la vie, je me laisse porter. Puis, après un certain temps, ça vient tout seul, c'est fluide… Parfois j'ai même l'impression que c'est magique !

— *Favoloso !* Alors je suis sûr que tu passeras un bel été, dit Dario en la serrant dans ses bras.

Estelle lui rend son étreinte.

— Bon été, Dario, merci pour tout. On se revoit début septembre ?

Dario hoche la tête et lui rend sa partition.

— Je t'attends de pied ferme !

Il va ouvrir la fenêtre puis revient sur ses pas.

— À propos, je vais organiser un petit concert au début de l'automne prochain avec quelques élèves. Ce serait bien que tu y participes.

— Moi ? Pas possible, je commence à peine, et en plus le trac me paralyse ! Rien que d'y penser…, frissonne Estelle.

— Justement ! Tu en feras l'expérience par toi-même, le trac n'empêche pas de chanter. Au contraire, tu seras galvanisée et tu chanteras encore mieux que d'habitude.

— Ah oui ?

— Bien sûr, et en plus tu connaîtras le plaisir euphorisant de chanter en public. Allez, ne t'inquiète pas, on en reparle tranquillement après les vacances.

En sortant du grand hall de la salle Pleyel, rayonnante et heureuse comme elle l'a rarement été, Estelle est éblouie par l'intensité de la lumière du soir en ce début d'été, qui lui paraît tout à coup merveilleusement rempli de promesses.

La vie est un flux continu. Je me branche sur mon élan vital.

## 35

— Tu viendrais déjeuner avec moi, beau brun ? demande Estelle en s'accoudant au comptoir de la réception.

— Chiche, beauté, répond Antoine en lui rendant son clin d'œil avant de faire le tour pour la rejoindre.

Avec une petite révérence, il pousse la porte devant Estelle, qui sort ses lunettes de soleil et lui prend le bras.

— À vrai dire, il fait tellement beau que je préférerais manger une salade au parc Monceau plutôt que de m'enfermer dans un resto. Ça t'irait ?

— Et comment ! Tu ne trouves pas que Paris, l'été, quand il ne fait pas trop chaud, est une certaine idée du paradis ? En tout cas, c'est la mienne, dit Antoine en chaussant à son tour une paire de lunettes noires.

— Alléluia ! lance Estelle en riant. Allez viens, Adam, direction le jardin d'Éden.

Antoine éclate de rire à son tour et entraîne Estelle vers la boulangerie, sur le chemin du parc Monceau. Quelques minutes plus tard, installés sur un banc ombragé de l'allée sud, ils refont le monde et évoquent les années passées à travailler ensemble.

— Tu vas me manquer !

— Te manquer ? Tu plaisantes ? Ma nouvelle boîte reste chez Planète Verte et j'emménage à deux pas de chez toi !

— Oui, bon, c'était une façon de parler ! En tout cas, celle qui ne me manque pas, c'est l'ancienne Estelle. Je l'aimais bien, s'empresse-t-il de rectifier devant ses sourcils froncés, mais je préfère mille fois celle que tu es devenue depuis que Flora et toi êtes amies !

Estelle reste songeuse un instant.

— C'est drôle… Tu as raison, mais je ne l'avais jamais envisagé comme ça…

Antoine lui lance un regard interrogateur. Estelle s'explique :

— Eh bien, j'aurais dit depuis que je connais Béatrice… Mais tu as complètement raison, c'est avant que j'ai commencé à changer. En fait, je peux même te dire que ç'a commencé précisément le jour où Flora m'a offert ce magnifique foulard en soie. Tu te souviens ?

— Comme si c'était hier.

— J'ai été tellement surprise par sa générosité, bouleversée, même. Moi qui pensais qu'elle me considérait comme une sorte de harpie tout juste bonne à la harceler avec ses comptes, ses dépenses, son découvert…

Antoine rit gentiment.

— Sans aller jusque-là, il faut avouer que tu n'as pas été tendre avec elle… Avec personne, d'ailleurs.

— Ça, tu peux le dire. Même avec Manon. Surtout avec elle, en fait. J'étais si perfectionniste et si dure avec elle. Comme mon père, pour qui ce n'était jamais assez et qui voulait toujours mieux, toujours plus et…

— Estelle, l'interrompt Antoine en posant la main sur son avant-bras.

— Oui ?

— C'est d'abord avec toi que tu n'étais pas tendre. Dans cette histoire, tu étais la première à souffrir.

Estelle hoche la tête, surprise, encore une fois, par la perspicacité et l'empathie de son ami.

— Tu vois, dit-elle en le regardant dans les yeux, je crois que le plus difficile est d'accepter de changer de point de vue. Et même, plus précisément, de point de vue sur soi-même.

— Changer de point de vue ?

— Oui, accepter de se considérer autrement. C'est comme si, jusque-là, je m'étais obligée à jouer les méchantes et les teignes, parce que je croyais dur comme fer que j'avais toujours été comme ça, que j'étais comme ça, que *j'étais ça*. Je m'imposais un comportement conforme à cette image de mégère que j'avais de moi. Tu imagines ?

Antoine valide de la tête sans la quitter des yeux.

— Non seulement j'imagine, mais je constate…

— Heureusement, grâce à Flora, à Béa, à toi… j'ai pu trouver la ressource pour changer, me métamorphoser même ! Mais tu sais, je crois que le plus important, je l'ai découvert hier, pendant mon cours de chant…

— Ah oui ? demande Antoine en ouvrant sa bouteille d'eau.

— Eh bien, c'était pendant un de mes morceaux préférés de Scarlatti. J'avais l'impression de chanter pas trop mal, mais Dario m'a fait remarquer que j'avais les lèvres crispées, comme si je refusais de me lâcher complètement, que je m'empêchais d'exprimer mes émotions.

Le problème c'est qu'en chant, ça se voit tout de suite !
Ça m'a fait comme un déclic. Je me suis rendu compte
que je me crispais parce que j'avais une frousse monu-
mentale de mes émotions. De manière plus ou moins
consciente, je pensais qu'en contrôlant tout, je ne pourrais
pas être débordée. Sauf que le remède est parfois pire
que le mal... En comprenant ça, j'ai eu le sentiment
d'avoir enfin pu « désenclencher » quelque chose en moi.
Un vieux réflexe conditionné, un très ancien schéma
affectif qui orientait tout, toute ma vie, et qui me bloquait.

— Tout ça en quelques secondes ?

— Oui, c'est la magie du chant ! lance Estelle spontanément, en riant aux éclats, elle-même étonnée par
ce qu'elle vient de dire.

Antoine réfléchit quelques secondes et sourit en
regardant le visage illuminé de son amie.

— Tu sais quoi ?

— Dis-moi...

— Je pense que tout le monde devrait s'y mettre.

— À quoi ? Au chant ?

— Oui, bien sûr, mais surtout à exprimer ses émotions !

Je me considère
autrement.

## 36

Lorsqu'elle ouvre les yeux, ce dimanche matin, les rayons du soleil éclatant de juillet traversent les persiennes. Estelle se souvient d'un rêve qu'elle a fait juste avant de s'éveiller. Elle marchait, pieds nus dans une rivière, et sentait l'eau délicieusement fraîche courir sur leur peau fine, dans un ruissellement de vie. La lumière du soleil semblait glisser avec l'onde. Bientôt, elle avait eu la sensation de suivre le mouvement du ruisseau tout en flottant au-dessus de lui et en se laissant porter, comme si elle marchait sur l'eau.

*Oui, comme si je marchais sur l'eau. Comme si les différentes dimensions de notre conscience n'étaient pas cloisonnées, qu'elles coexistaient, ensemble... C'est prodigieux !*

Estelle sourit et s'étire, tandis que des souvenirs d'expériences similaires remontent à son esprit, maintenant entièrement conscient. Le Vercors, puis le désert marocain... *Peut-être même bien avant, sur l'île d'Yeu, avec ma grand-mère, quand j'étais petite fille.*

Pleine d'entrain, Estelle se lève et ouvre grand la fenêtre pour respirer à pleins poumons les parfums de l'été. Aujourd'hui est un jour exceptionnel, celui de la grande fête de leur groupe d'amis. *Un peu comme le festin à la fin des albums d'Astérix ! Tiens, ils sont dans quel carton, ceux-là ? J'espère que je l'ai bien étiqueté.* Elle sourit de plus belle en songeant qu'il n'y a pas si longtemps, elle aurait étiqueté les cartons avant même d'emballer leur contenu.

Cette année, Antoine et Louis ont insisté pour que la fête ait lieu chez eux, histoire de changer un peu et de laisser souffler Flora, qui l'avait organisée l'année précédente. « Je crois que cette fois, tu as mieux à faire que t'occuper des invités ! » a lancé Antoine en désignant Albertine, très occupée à observer les allées et venues du chat dans le salon avec de petits cris de joie. Estelle en a profité pour prendre date : l'été prochain, c'est Raf et elle qui accueilleront tout le monde dans leur nouvelle maison.

À cette seule pensée, une douce chaleur irradie son corps et dilate son être tout entier. *Finie la parcimonie ! Je veux être généreuse, avec mes amis et avec moi-même, aussi. Je veux de l'abondance, de l'amour et des rires à foison. À partir de maintenant, je vis ma vie en grand !*

En sortant de la douche, fraîche et parfumée, la jeune femme entend Manon ouvrir à Raphaël. Au son des bavardages et des cabrioles, elle passe une robe légère, aérienne, un peu froufroutante, même, d'un jaune d'or éclatant rehaussé d'une ceinture en soie vert anis, et un joli bandeau safran dans ses cheveux, qu'elle ajuste devant le miroir. Elle se sent bien, elle se sent belle et elle se promet de ne plus jamais s'empêcher de penser du bien d'elle-même.

*Oh, quel chemin, je n'en reviens pas !* En se regardant dans la glace, elle songe à Eulalie, sa sœur – *ma sœur !* – dont elle admire tant l'art de marier les couleurs. C'est elle qui lui a fait acheter cette robe et, aujourd'hui, elle ne regrette pas de s'être laissé ainsi habiller de lumière. D'ailleurs, Eulalie sera là. Cela compensera un peu l'absence de Béa, partie deux semaines chez son fils à Annecy pour se reposer et prendre des forces avant le déménagement.

En arrivant dans le salon, Raphaël la regarde avec de grands yeux et émet un sifflement admiratif. Estelle fait un tour sur elle-même, faisant virevolter le tissu léger de la robe, et termine par une révérence.

— Heureuse que mon nouveau look te plaise, mon cher ! lance-t-elle avant de déposer un baiser sur ses lèvres.

Manon vient lui attraper la main.

— Et moi, comment je m'habille ?

— Comme tu veux, ma perle. Ne te couvre pas trop, entre le soleil et tes sauts de cabri, tu vas vite avoir chaud !

— D'accord mamounette, s'exclame-t-elle en disparaissant dans sa chambre à la vitesse de l'éclair.

Estelle se tourne vers Raphaël en souriant.

— La vie est tout de même bien plus simple et plus drôle depuis que j'ai arrêté de tout contrôler, non ?

Raf se contente de lui rendre un large sourire approbateur.

— Merci d'être là, poursuit-elle. Dire que j'ai failli tout faire échouer entre nous, à cause de ma fichue peur des hommes !

— Eh bien je suis content que tu n'aies plus peur de moi...

— Tu sais, ce n'était pas une partie de plaisir. Le contrôle était la seule solution que j'avais trouvée pour faire barrage à un flot d'émotions anciennes, à un immense trop-plein d'émotions qui me terrorisait.

Estelle soupire, visiblement très remuée, avant de reprendre sur un ton plus léger :

— On a beau dire, ce n'est pas si facile de lâcher prise, même si c'est « la chose la plus importante à expérimenter sur notre chemin de vie », comme me l'a dit Dario, ça prend du temps et ce n'est jamais gagné !

— Je t'admire, lui confie Raphaël en se rapprochant d'elle, j'en suis encore loin, moi.

— Qui a dit que la femme est l'avenir de l'homme, déjà ?

— Jean Ferrat ? Non, c'est plutôt Aragon...

— C'est peut-être vrai, au fond !

— Oui, ça m'en a tout l'air, confirme Raf en la serrant fort contre lui. Je t'aime, tu sais, ajoute-t-il dans un souffle.

Estelle acquiesce d'un petit signe de tête.

— Je sais. Merci d'avoir tenu bon pendant tout ce temps et de m'avoir attendue. Moi aussi, je t'aime, murmure-t-elle en posant ses lèvres sur les siennes.

Estelle regarde longuement Raphaël dans les yeux, lui sourit encore, puis va chercher son sac à main posé sur un fauteuil.

— Allez championne, on y va, dit-elle à Manon, qui vient de réapparaître vêtue d'un débardeur et d'un short. On doit arriver tôt pour donner un coup de main à nos hôtes. Heureusement qu'ils ont un grand noyer, je sens la chaleur arriver à toute allure.

— On y va ! Raf, maman, je suis trop contente.

— Oh, moi aussi, je suis contente, mon amour. Tu ne peux pas savoir à quel point.

# GUIDE PRATIQUE
# DU LÂCHER-PRISE

*« Vivre, ce n'est pas se trouver, c'est se créer. »*

G. B. Shaw

Avant de parvenir à lâcher prise, Estelle franchit certaines étapes. Les voici, plus détaillées que dans le roman, sous forme de questions ou de recommandations que vous pouvez mettre facilement en pratique au moment qui vous semble le meilleur pour vous. Vous pouvez suivre la progression du roman ou avancer à votre rythme, dans l'ordre qui vous convient le mieux…

Je vous souhaite de belles découvertes
et une bonne *création de vous-même* !

## 1. Un petit bilan pour commencer

Pour se transformer, ou simplement aller vers une plus grande conscience, un mieux-être, il est préférable de commencer par faire le point. Cela aide à repérer l'horizon vers lequel on va pouvoir cheminer.

- Suis-je plutôt anxieux(se) ?
- Ai-je tendance à vouloir contrôler ? Comment et quoi, plus précisément ?
- Suis-je exigeant(e) avec moi-même ?
- Suis-je dur(e) avec mes proches ou mes collègues ?
- Quel est mon sentiment sur mon existence jusqu'ici ?
- Ma vie me correspond-elle vraiment ?
- Quels changements aimerais-je y apporter ?
- Suis-je prêt(e) à réaliser ces changements ?
- Ai-je besoin de me faire accompagner ? De quelle façon ?
- Quel temps est-ce que je me donne pour réussir cette transformation ?

## 2. Je me laisse surprendre

La vie est pleine de surprises et de coïncidences. L'avez-vous remarqué ?
- Prêtez-vous attention aux coïncidences ?
- Quelle place accordez-vous aux surprises ?
- Vous laissez-vous bousculer par les surprises ?
- Acceptez-vous d'être dérangé(e) ou dépassé(e) ?
- Faites-vous des surprises à ceux que vous aimez ?

## 3. Je me fais aider

Nous pouvons faire beaucoup pour nous-mêmes, mais nous ne pouvons pas tout faire non plus. Nous avons aussi besoin de nous faire aider. Ce peut être par un proche, un ami, une personne du voisinage, une association ou un professionnel.

★ Qui serait le plus à même de m'aider en ce moment ?

## 4. Je lâche mes principes

Avoir des valeurs, c'est important, surtout si ces valeurs sont humanistes et favorisent la qualité des relations, la protection de la planète, le respect des enfants, la défense des droits du citoyen et la démocratie. Oui, mais gare à ne pas nous empêcher de vivre en nous laissant étouffer par nos valeurs ou celles des autres, qui deviennent alors des contraintes.

★ Quels sont les principes ou les valeurs qui sont devenus des contraintes pour moi ?

★ Comment puis-je me défaire de cet excès et vivre de vrais bons moments, en passant de l'effort au plaisir ?

## 5. Ce rôle qui m'enferme

Depuis que nous sommes petit(e)s, pour faire plaisir à nos parents ou obéir à nos professeurs, pour éviter de nous sentir ridicules face aux autres, nous jouons un rôle, ou plusieurs rôles, que nous avons appris à maîtriser. Seulement, ces rôles ne correspondent pas à notre nature profonde, limitent notre liberté et peuvent même nous tyranniser.

Il est peut-être temps de laisser ces vieux personnages derrière soi, d'être plus spontané et de découvrir en soi des zones encore inconnues…

★ Quel(s) rôle(s) je joue ?

★ Suis-je mon propre adversaire ? De quelle façon ?

★ Suis-je prêt(e) à arrêter d'être un personnage social et de m'imposer la perfection ?

## 6. La méthode Vittoz

Cette méthode a été créée par le Dr Roger Vittoz (1863-1925), un médecin suisse de Lausanne. Elle vise à développer l'harmonie du cerveau, en équilibrant la réceptivité et l'émissivité, et surtout en s'entraînant à *l'acte conscient*. En fait, c'est une forme de « pleine conscience » avant l'heure, avant ce grand engouement que nous connaissons actuellement. Elle est encore enseignée aujourd'hui en Europe, car elle améliore la mémoire, l'attention, apporte la sérénité, etc. Sa simplicité permet de la proposer aux enfants. (Voir le récapitulatif des exercices à la fin de ce guide.)

★ Je dessine le signe de l'infini, devant moi, avec une main, puis avec l'autre, les yeux ouverts, puis les yeux fermés. Je peux le dessiner dans une couleur qui me plaît à ce moment-là, puis changer de couleur les autres jours, comme je le souhaite.

## 7. Je savoure mes sensations

Je m'assieds ou je m'allonge un moment, dans un endroit calme.

★ Je ferme les yeux et j'observe les sensations dans mon corps.

★ J'écoute le silence ou les bruits, les sons, les voix, la musique.

★ Je rouvre les yeux, puis je regarde un instant autour de moi.

★ Je touche ma peau, mes vêtements, le siège ou le lit.

★ Je sens l'odeur de la pièce, un parfum, des huiles essentielles, etc.

Quand je le souhaite, je peux me relever et j'observe comment je me sens, là, debout.

## 8. Le corps et la respiration

Je suis dans mon corps. Je vis dans mon corps. Je fais de mon corps un allié.

★ Pour être bien dans ce corps, je me mets à son écoute et j'en prends soin.

★ Lorsque je me repose ou que je ne fais rien, j'observe les va-et-vient de ma respiration, librement, comme elle va, comme elle vient.

## 9. Donner et recevoir

« Tout ce que je ne donne pas est perdu », m'a dit un jour un ami.

En fait, *nous n'existons que par le don*, à travers ce que nous donnons aux autres, ou ce que nous acceptons de recevoir d'eux.

★ Qu'ai-je donné ou reçu aujourd'hui ?

## 10. Serrer dans ses bras

S'embrasser, au sens premier de tenir quelqu'un dans ses bras, est une pratique très importante à développer en famille, entre amis et entre collègues.

★ Lorsqu'un proche me serre dans ses bras, je savoure cette étreinte et je me laisse aller complètement.

★ Quand je serre une personne dans mes bras, j'attends suffisamment longtemps, jusqu'à sentir qu'elle lâche, pour la réconforter et l'aider à se détendre vraiment.

## 11. Vivre la continuité

Nous avons souvent tendance à faire trop de choses à la fois et dans une journée. Cela nous pousse à nous disperser, nous fatigue et nous fait perdre le lien essentiel avec nous-mêmes.

★ Chaque fois que je le peux, je me reconnecte à moi-même. Par exemple à mes sensations, à ma respiration, ou à ce que je suis en train de faire à ce moment précis.

★ J'essaie de vivre certaines activités dans la continuité, pour mieux les apprécier et mieux les réussir aussi.

## 12. Je t'aime

Disons-nous assez souvent aux êtres qui nous sont chers que nous les aimons ?

★ J'écris une lettre à une personne que j'aime et je le lui dis à ma façon.

### 13. Cuisiner est une fête

Faire la cuisine n'est pas seulement une nécessité parfois rébarbative. Nous pouvons cuisiner avec une personne que nous apprécions et en faire un moment festif.

★ Avec qui ai-je envie de préparer une entrée, un plat, un dessert ou un repas tout entier ?

★ Quand suis-je disponible pour l'inviter ?

★ Nous déterminons ensemble les courses à faire. Qui apporte quoi ?

### 14. La sagesse du corps

Lâcher prise, c'est aussi arrêter de vouloir contrôler, arrêter de *vouloir*, même, et laisser la vie *être*.

★ Je m'accorde du temps.

★ J'observe, sans intervenir.

★ Je laisse faire la sagesse du corps.

### 15. Je savoure les plaisirs de la vie

Là encore, c'est à travers mon corps que je peux goûter tous les plaisirs, petits et grands, qui jalonnent une journée, dans toute la gamme des ressentis : sensations, émotions, sentiments, intuitions, visualisations, etc.

★ Lorsque j'écoute de la musique, je peux la laisser résonner dans mon ventre, dans mon cœur, dans ma tête.

★ Quand je danse, je peux sentir mes pieds, mes jambes, mes bras et les vibrations du rythme traverser tout mon corps.

★ Lorsque je me parfume, je peux prendre le temps de me laisser enivrer par le parfum.

★ Lorsque je mange, je prends le temps de goûter, de savourer, de me régaler.

★ Quand je regarde un film ou un spectacle, je me laisse la possibilité d'exprimer librement et spontanément mes émotions : rires, larmes, émerveillement, indignation, peur…

## 16. Relaxation Vittoz

Il s'agit d'un voyage dans le corps, qui permet de se réapproprier chaque zone, chaque membre, en y mettant de la conscience. Elle se pratique très lentement, assis ou allongé.

★ Je sens mon pied droit, mon pied gauche, ma cheville droite, ma cheville gauche, mon mollet droit, mon mollet gauche, mon genou droit, mon genou gauche, ma cuisse droite, ma cuisse gauche. Je sens mes fesses, mon ventre, ma cage thoracique, tout mon dos, toute ma colonne vertébrale, les flancs d'un côté comme de l'autre. Je sens mes épaules, mes bras, mes coudes, mes avant-bras, mes poignets, mes mains jusqu'au bout des doigts, d'un côté comme de l'autre. Je sens mon cou, ma nuque, mes lèvres, ma langue, mes joues, mes pommettes, mon oreille droite, mon oreille gauche, mon œil droit, mon œil gauche, mon nez, mes sourcils, mon front et mon cuir chevelu. Je sens ma respiration.

(On peut alterner en commençant par un côté, puis par l'autre.)

## 17. Je me fais masser

Le massage, ou modelage, est une très bonne expérience pour lâcher prise. Le mieux est de le recevoir nu(e) et dans un silence complet, en se centrant uniquement sur ses sensations.

★ J'accorde ma confiance.

★ Je ferme les yeux.

★ Je me laisse aller.

### 18. À quoi je tiens le plus ?

Quelle est ma vraie priorité ? Pour la trouver, je peux faire silence régulièrement ou m'offrir une semaine pour vivre une retraite dans un lieu calme et préservé.

Lorsque je souhaite retrouver la source vive en moi, l'essentiel de mon être, mes vraies aspirations, je peux me poser ces questions :

★ Quels étaient mes rêves d'enfant ?

★ Si l'on m'annonçait que je n'ai plus qu'une année à vivre, qu'est-ce que je voudrais vraiment réaliser avant de partir ?

### 19. J'accueille mes émotions

Voici une petite pratique à accomplir chaque fois qu'une émotion m'a perturbé(e) :

★ Je choisis une situation qui a provoqué une émotion forte. Je ferme les yeux. Je me remémore la situation concrète et je ressens l'émotion au moment où elle était à son paroxysme. Puis, j'observe simplement les manifestations de cette émotion dans mon corps. J'exprime les sensations que je ressens en désignant les endroits du corps où elles se manifestent. Je prends le temps de les laisser évoluer sans intervenir, puis je décris l'évolution de mes sensations corporelles. Lorsque les manifestations physiques ont disparu ou se sont beaucoup allégées, je peux rouvrir les yeux et repenser à la situation initiale.

★ Si nécessaire, je refais l'exercice un peu plus tard jusqu'à ce que mon cerveau ait complètement métabolisé (c'est-à-dire traité ou « digéré ») l'émotion qui m'a gêné(e).

## 20. Je me laisse vivre

Pour bien chanter, il est nécessaire de se détendre, de laisser l'énergie circuler dans le corps, de libérer puis de développer le souffle, et de laisser la voix vivre. Sans chercher à la contrôler et sans chercher de résultat. C'est exactement pareil dans la vie !

★ Vivre en confiance est comme chanter : je me laisse porter, je me laisse vivre.

★ Je laisse le bonheur venir à moi.

## 21. Je prends du recul

Plutôt que de me faire du souci pour tout, de vouloir anticiper ou maîtriser la situation, j'essaie de laisser de la distance entre mes préoccupations et moi.

★ Je mets ma vie (ou telle situation) en perspective.

★ Je relativise.

## 22. Je suis dans le présent

Inutile d'attendre. La joie est là, maintenant, tout de suite.

★ Je savoure chaque petit brin de joie qui se présente à moi.

## 23. Je suis parce que nous sommes

Comme le rappelle le chanteur et écrivain Yor Pfeiffer, partager sa joie la multiplie. Sa définition du paradis est la suivante : « être relié aux autres ».

★ J'essaie de m'approprier la philosophie *Ubuntu* : je suis parce que nous sommes.

★ Je développe la solidarité en soutenant ceux qui me soutiennent.

★ Que puis-je faire pour développer le sens de la communauté autour de moi et améliorer la vie de chacun ?

## 24. Accepter la générosité

Suis-je capable d'accepter la générosité sans restriction, de tout mon être, et d'accueillir l'affection de mes proches ?

★ Au fond, si c'était ça, lâcher prise ? Ne rien faire ? Accueillir mes émotions, mes pensées, sans m'y accrocher. Accepter ce que mon corps me dit, mes sensations qui vont et viennent…

★ J'accepte sans réserve la générosité de mes amis.

## 25. Le bonheur est si proche

Il suffit de le cueillir comme on cueille des fleurs…

★ J'accueille chaque promesse de bonheur.

## 26. L'arbre

Voici l'exercice de l'arbre, que vous pouvez pratiquer aussi souvent que vous voulez.

★ Mes pieds sont bien posés par terre, mes genoux sont libres. J'imagine que je suis un arbre. Je lève mes bras en les arrondissant devant moi. Je ferme les yeux. Sous mes pieds, j'imagine de profondes racines plongeant dans la terre. Je sens la force de la sève qui monte à travers mes pieds, mes jambes, mes bras, mon tronc, mon cou, jusqu'à ma tête. J'imagine que mes branches sont garnies d'un très beau feuillage verdoyant…

★ Au bout de quelques minutes, je peux rouvrir les yeux et détendre mes bras.

### 27. Je choisis pour agir

Un choix clair exécuté nettement libère le cerveau et clarifie les idées.

* Je fais des choix précis. Je les affirme avec précision.
* Je m'assieds confortablement sur une chaise. Je prends le temps de regarder autour de moi, puis je choisis un objet. Quand je me sens vraiment prêt(e), je me lève, je vais chercher cet objet et je reviens m'asseoir où j'étais. Puis je vais le reposer à sa place.

### 28. J'accepte de ne pas savoir

Rien ne sert de s'imposer quoi que ce soit. Il est tout aussi inutile de vouloir imposer ses vues aux autres. Il vaut mieux laisser faire le corps, le temps, le mouvement de la vie…

De même, ce n'est pas la peine de chercher des réponses ou des solutions. Il suffit de découvrir ce qui se passe en soi dans chaque situation. La vie est tellement plus simple ainsi !

* Je fais confiance à mes ressentis.

### 29. Watsu

Après un massage (pourquoi pas un Watsu ?), un temps de répit ou un moment de détente, je me laisse simplement toucher par ce que je vis, sans réfléchir, en accueillant mes sensations telles quelles sont.

* Je suis directement en contact avec le réel.

### 30. Les trois niveaux de l'émotion

Par définition, et dans la réalité, une émotion est un *mouvement*, qui nous bouscule et nous chamboule. Bien souvent, les émotions nous débordent, et c'est ainsi. Nous avons beau prétendre les maîtriser ou les juguler, les « gérer », pour prendre une expression tellement répandue, aucune émotion ne se laisse contrôler. Tant mieux, car c'est grâce à nos émotions que nous sommes humains et vivants, c'est aussi grâce à elles que nous sommes attentifs, que nous développons notre mémoire, que nous sommes en relation, que notre existence a de la saveur, etc.

★ Chaque fois que je ressens une émotion, je peux observer :
– ce que je ressens moi,
– ce que ressent l'autre,
– comment cela résonne en moi, dans l'instant et dans mon histoire.

## 31. Partager le plaisir

Nous, adultes, avons perdu l'habitude de *jouer*, ce qui est bien dommage…

★ Je ris, je joue, je me laisse aller au plaisir partagé.

## 32. Je suis en mouvement

★ Marcher (courir, faire du vélo, nager) permet de lâcher la rumination mentale.
★ Marcher en silence apporte de la distance, une autre perspective.

## 33. Je réalise mes souhaits

Je mets mes idées en pratique…

★ Aujourd'hui, que puis-je réaliser concrètement ?
★ Comment vais-je m'y prendre ?
★ Combien de temps dois-je libérer pour y parvenir ?
★ Ai-je besoin de me faire aider ?
★ Si oui, à qui puis-je demander de l'aide ?

## 34. Je suis l'univers, l'univers est en moi

C'est une pensée fondamentale de la philosophie hindouiste : *je suis dans le tout et le tout est en moi*. Le simple fait de le concevoir aide à changer de perspective et à considérer la vie autrement.

* ★ Je me laisse porter par la vie, par l'élan vital.
* ★ Je suis la rivière. Je suis le flux continu.
* ★ Je suis la vie qui va.

## 35. Changer de point de vue

En réalité, c'est souvent nous-mêmes qui nous rendons malheureux. Nous nous en tenons à une personnalité un peu figée ou réduite, en croyant qu'elle nous correspond. Nous y tenons autant que nous nous y tenons. Nous nous plaignons, mais rien ne change parce que nous ne changeons pas de regard sur nous-mêmes et que nous ne nous autorisons pas à changer.

Nous nous posons mille questions, aussi fausses qu'inutiles : que vont dire les autres ? Suis-je capable ? Est-ce vraiment nécessaire ? Et si je me trompais ? Il y a bien pire, etc.

* ★ Puis-je changer de regard sur moi-même et me considérer autrement ?

## 36. Je vis ma vie en grand

Nous avons très souvent tendance à nous laisser rétrécir ou à nous rétrécir nous-mêmes, or la vie de l'âme (ou de l'être, si vous préférez) est *une dynamique d'expansion*, notamment d'expansion de la conscience. Il n'y a donc aucune raison de se (laisser) ratatiner.

Le vrai bon « lâcher-prise » est donc propice à la liberté, à la croissance et à l'envol. Je peux en faire un critère de choix pour la vie : tout ce qui me rapetisse n'est pas bon pour moi, tout ce qui me grandit est bon et favorable.

Il ne s'agit pas de la folie des grandeurs, de l'arrogance ou de l'esbroufe, qui sont principalement des illusions de « puissance » dans le domaine matériel et social, il s'agit bien de grandir humainement, dans les dimensions de l'amour, de la paix, de la joie, de la lumière, de la solidarité, de la convivialité, de la créativité…

★ Je vis ma vie en grand (ma vie intérieure, mes relations affectives, mes créations).
★ Je donne de l'espace et du souffle à mes rêves.
★ Je me connecte à mon potentiel infini.

**Récapitulatif des exercices de la méthode Vittoz**

★ Les yeux fermés, assis(e) sur une chaise ou allongé(e) sur un lit, orienter son attention quelques instants sur un pied, puis sur l'autre, puis sur chacune des chevilles, etc., en remontant le corps membre après membre, d'un côté comme de l'autre, jusqu'au visage et à la tête. Une fois ce « voyage » terminé, observer un moment sa respiration. Comment est-elle ? A-t-elle évolué au cours de l'exercice ?

★ Debout, les yeux ouverts, les bras au-dessus des épaules et de la tête, imaginer être un arbre à la fois paisible et puissant. Puis, si cela est possible, fermer les yeux. Rester ainsi quelques instants en observant simplement les sensations dans le corps.

★ Assis(e), les yeux ouverts. Avec le pouce et l'index qui se touchent aux extrémités, comme avec une craie, dessiner sur un tableau imaginaire, plusieurs fois de suite en continu, le signe de l'infini, le huit allongé, en passant et en repassant chaque fois par le centre. D'une main, puis de l'autre. S'arrêter lorsqu'on se sent plus calme. Répéter l'exercice les yeux fermés.

★ De la même façon, sur ce tableau imaginaire devant soi, dessiner un carré. Visualiser ce carré sur le tableau, puis effacer l'un après l'autre chaque côté de ce carré. Prendre le temps de voir le tableau vide. Refaire le même exercice les yeux fermés.

★ Devant soi, avec la même craie imaginaire, dessiner un « I » majuscule en descendant. Puis dire « je », en même temps, chaque fois, en continuant à écrire ce grand « I ». Les yeux ouverts, puis fermés.

Il existe d'autres petits exercices tout aussi simples inventés par le Dr Roger Vittoz, comme dessiner des boucles devant soi, dans un sens ou dans l'autre, etc. Chacun peut aussi inventer les exercices qui lui conviennent le mieux, pour développer l'attention à chaque geste, à chaque activité ou à chaque moment de la journée…

★ La méthode Vittoz est simple et pratique. En toutes circonstances, le point de départ est la réalité concrète de l'expérience vécue, là, en temps réel. Les mots et les images viennent facilement parce que je suis d'abord attentif(ve) à mes sensations, à ce que je suis en train de vivre dans mon corps… et ça simplifie tout !

Ainsi, comme Estelle, vous pouvez partir à la découverte de votre *intelligence sensible* (qui est différente de la mentalisation ou de la rationalisation). Vous développerez ainsi une vision globale favorable à l'empathie, ainsi que votre intuition.

Peu à peu, vous allez vous-même trouver un chemin d'évolution, le vôtre, parce que chacun est unique et qu'il n'y a pas de « recettes magiques ». Ouvrez les portes de vos perceptions, exprimez vos émotions, décloisonnez vos idées. *Vous allez ainsi découvrir une fabuleuse liberté : liberté de pensée, de parole et de mouvement, y compris dans le corps, dans le temps et dans l'espace.*

⭐ En repérant dans mon corps ce qui se passe, où et comment cela se passe en moi, je vais pouvoir me connaître de mieux en mieux à travers toute la gamme de mes sensations, images, émotions, sentiments et intuitions.

⭐ Comme Estelle lorsqu'elle chante, sans chercher de résultat, ni forcer, ni pousser, ni grossir, je vais enfin pouvoir me laisser vivre, me laisser être et savourer cette nouvelle et joyeuse façon d'être au monde.

## La vie est belle :
## elle est aussi magnifique que je le suis,
## moi, en réalité !

« *L'être humain est une chambre d'hôtes. Chaque jour voit de nouveaux arrivants. Une joie, une peine, une mesquinerie, une conscience momentanée viennent comme des visiteurs inattendus... Recevez-les. Traitez honorablement tous ces passants. La honte, la malveillance, la sombre pensée, accueillez-les à la porte en riant de bon cœur et faites-les entrer. Réjouissez-vous de leur venue, car chaque hôte a été envoyé comme un guide de l'au-delà.* »

Rumi

# REMERCIEMENTS

*Je remercie Karine pour son enthousiasme, Liza et Sophie pour leur foisonnement créatif, Judith pour sa participation joyeuse et tonifiante.*

*Je remercie Florence pour ses merveilleux cours de chant, voyages initiatiques et musicaux.*

*Je remercie mes enfants pour leur soutien tendre et lumineux.*

POCKET N° 17244

Saverio Tomasella

# À fleur de peau

Le roman initiatique
des hypersensibles

POCKET

*« Un roman sur l'hypersensibilité qui nous touche en plein cœur, nous aide à mieux nous comprendre… Soyons fiers de notre sensibilité, loin d'être une faiblesse, c'est une véritable force ! »*

**Au Boudoir Écarlate**

**Saverio
TOMASELLA
À FLEUR DE PEAU**

Un mari brillant, un fils adorable, des amis fidèles, un métier qu'elle aime : Flora a tout pour être heureuse. Au moindre petit tracas, pourtant, tout l'agresse. Stress, angoisse, culpabilité : Flora se sent à vif, « bizarre », différente des autres. Hypersensible, dit-on. Trop sensible ? Sa rencontre avec Marc, professeur de yoga et de méditation, lui prouvera que non. En suivant, sur des chemins de fortune, les voies de la confiance, Flora apprendra à cultiver ce qui fait d'elle ce qu'elle est. Pour s'épanouir, enfin, telle une fleur au printemps…

# Découvrez
# des milliers de
# livres numériques chez

# I2-2I

→ *www.12-21editions.fr*

**I2-2I** est l'éditeur numérique de Pocket

 | **POCKET**

Composition et mise en pages
Nord Compo à Villeneuve-d'Ascq